colou

join up the same

colour

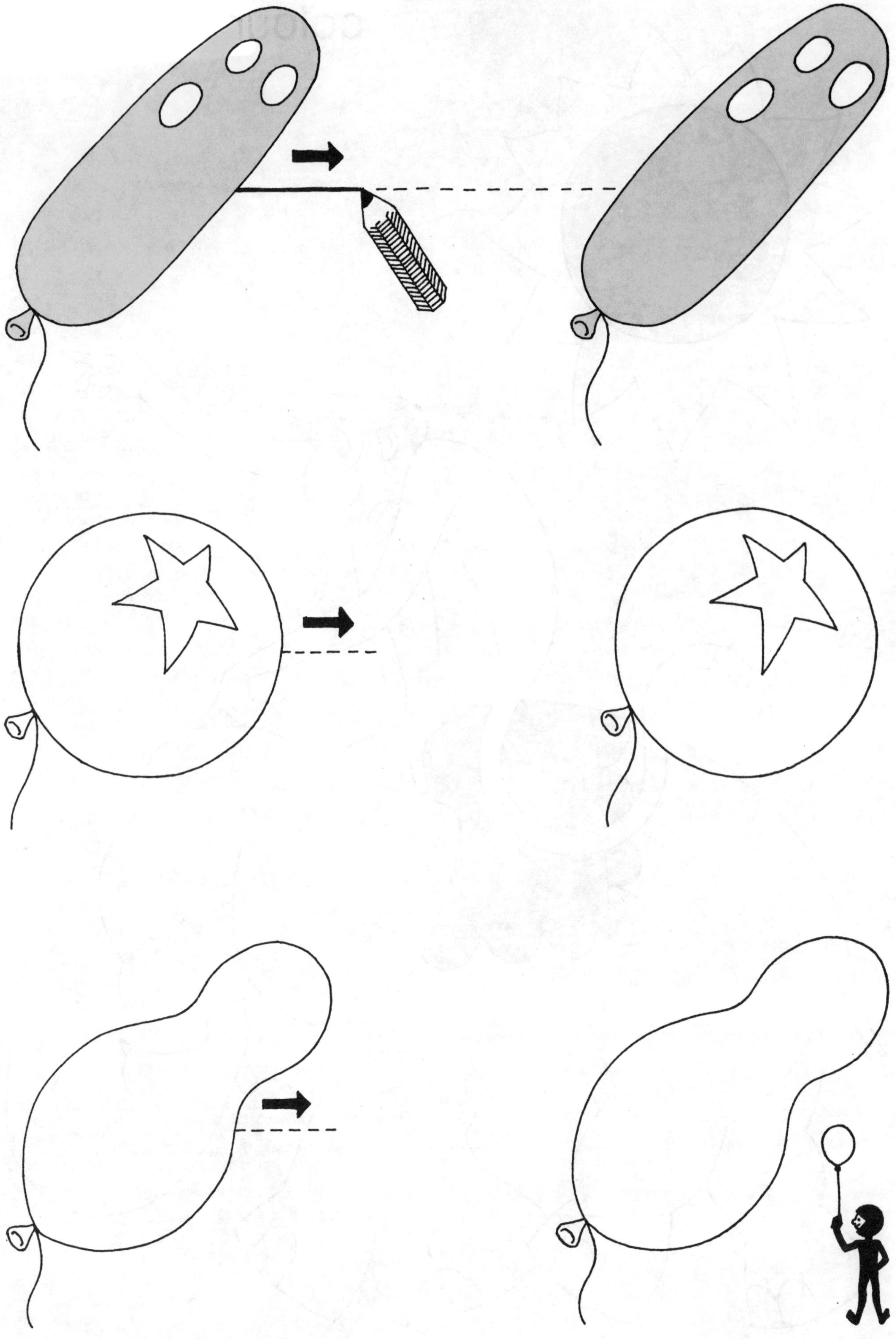

join up the same

colour

ring odd one out

colour

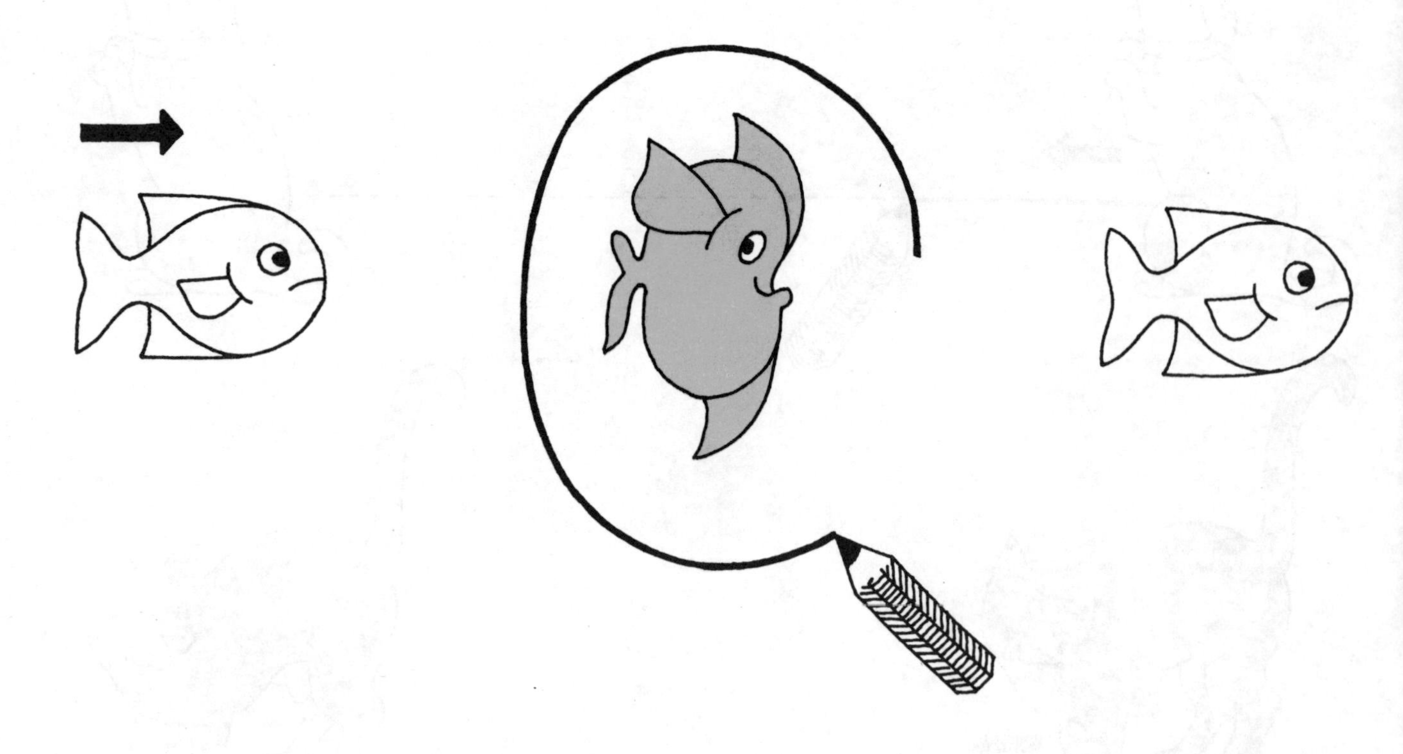

ring odd one out

colour

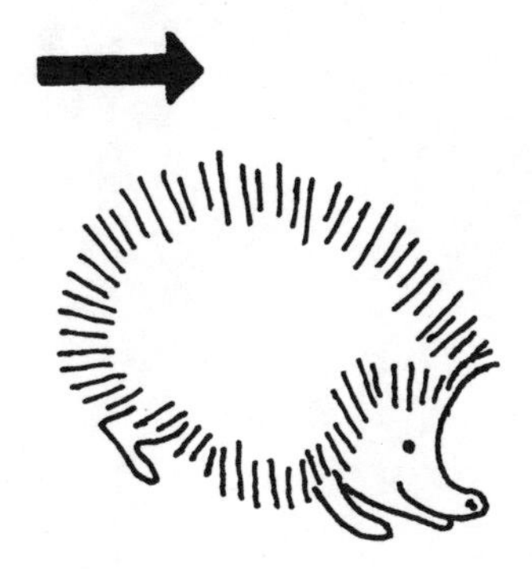
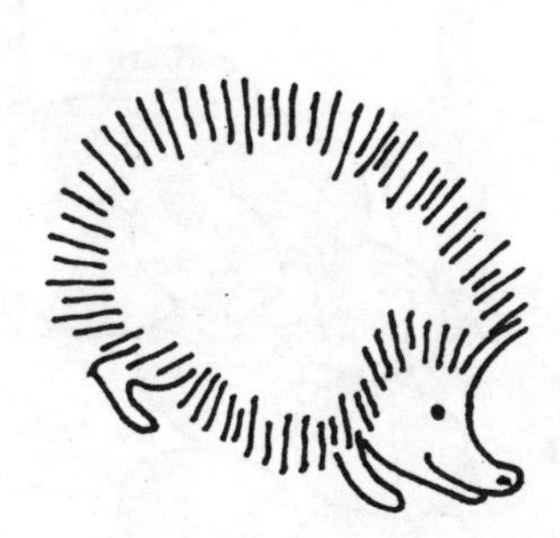

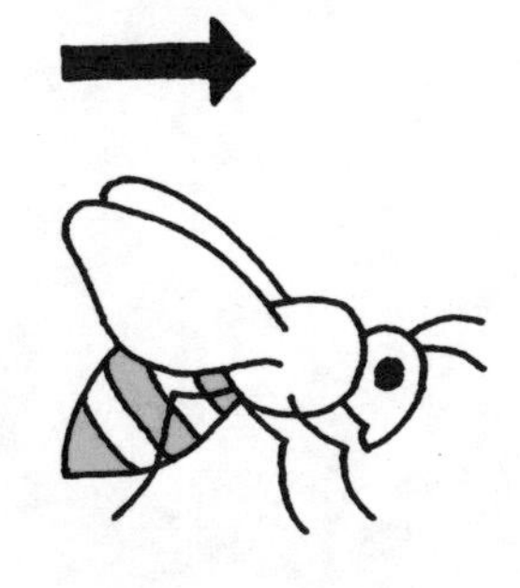

what can you see?

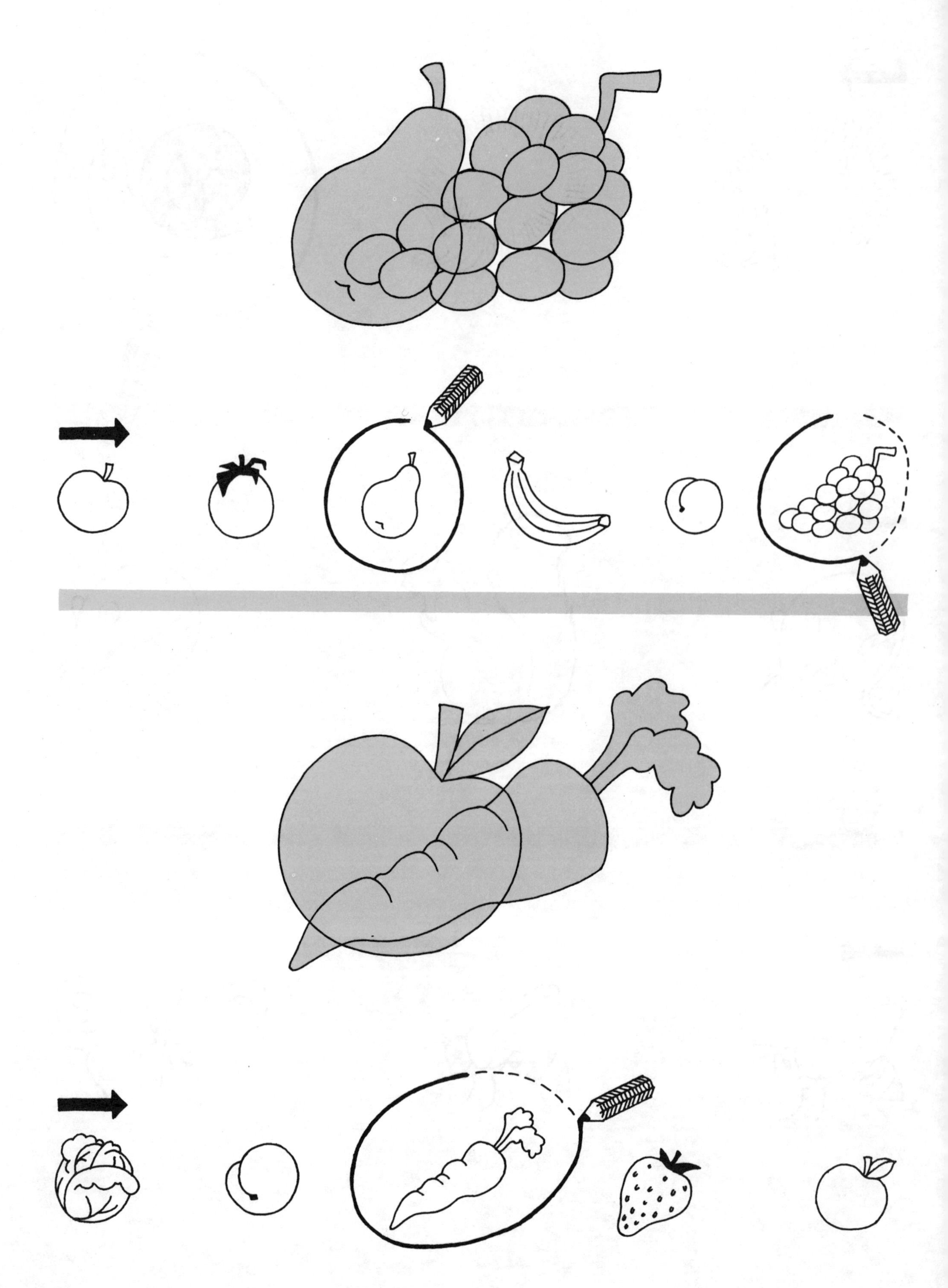

what can you see?

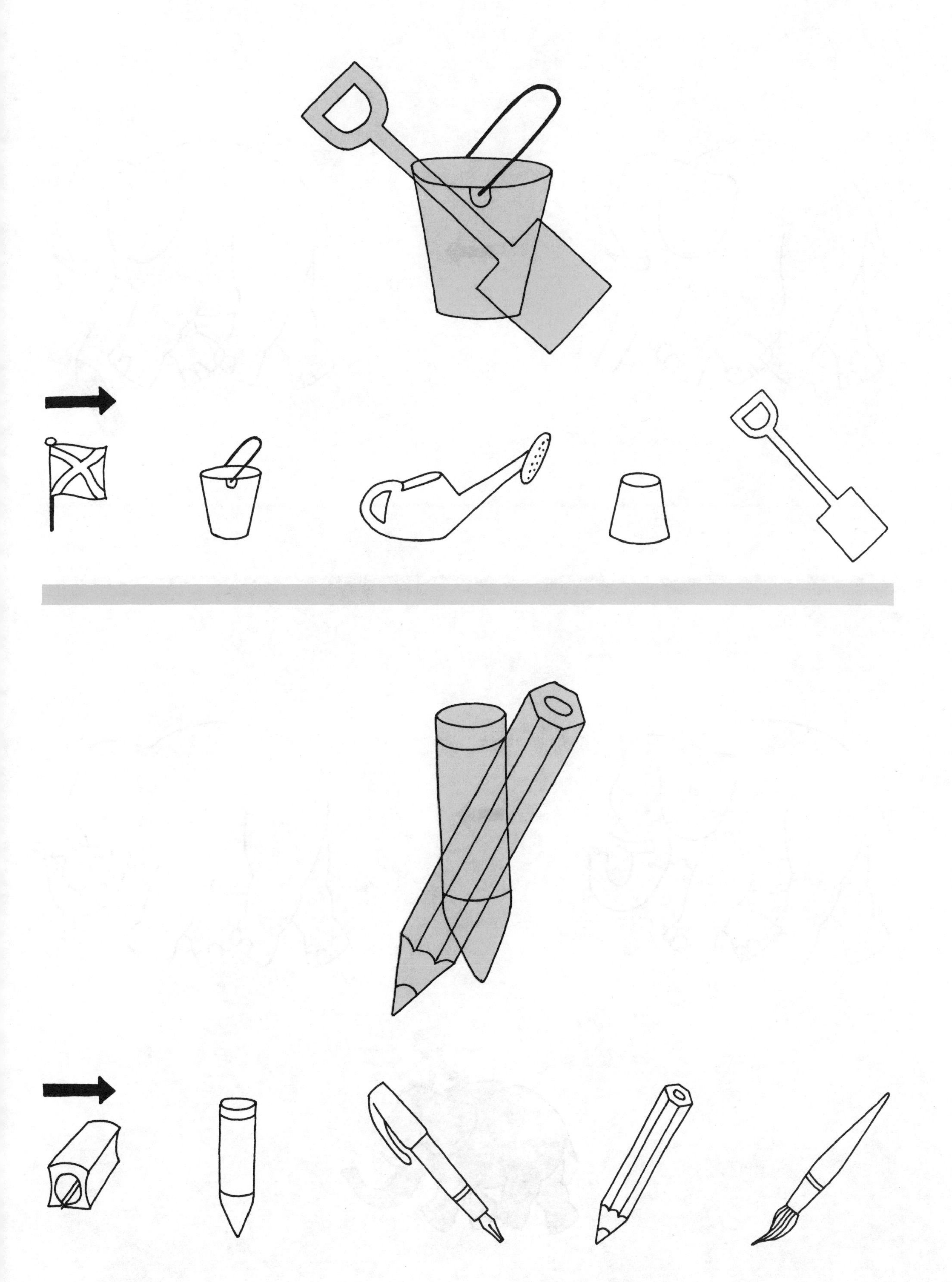

make the same

colour

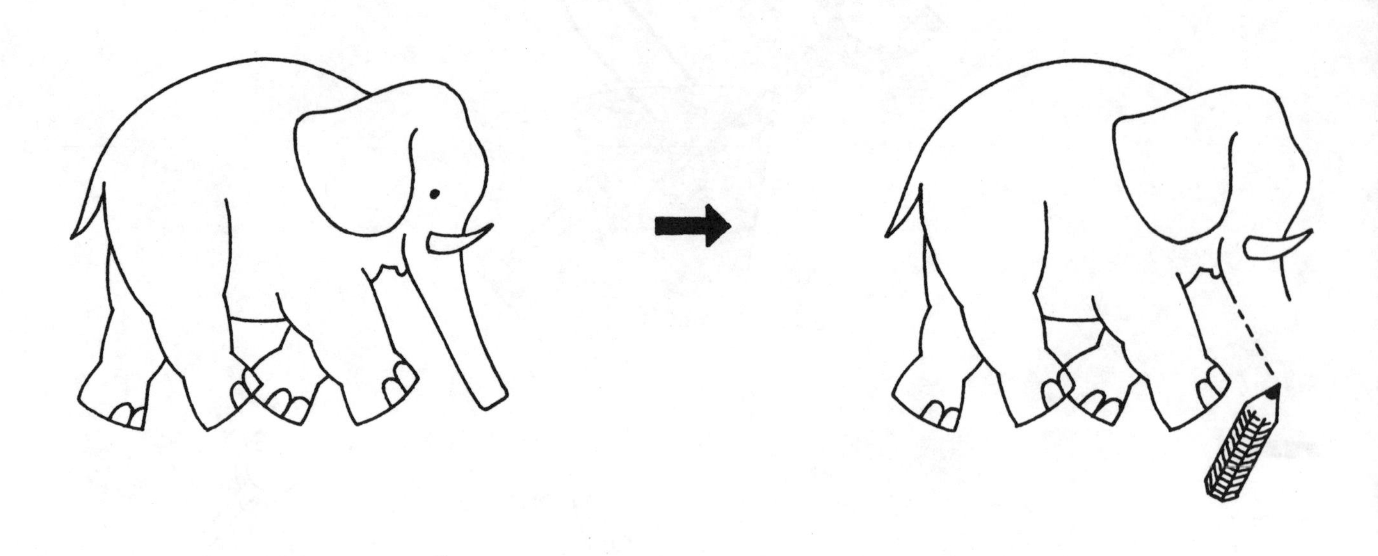

make the same

colour

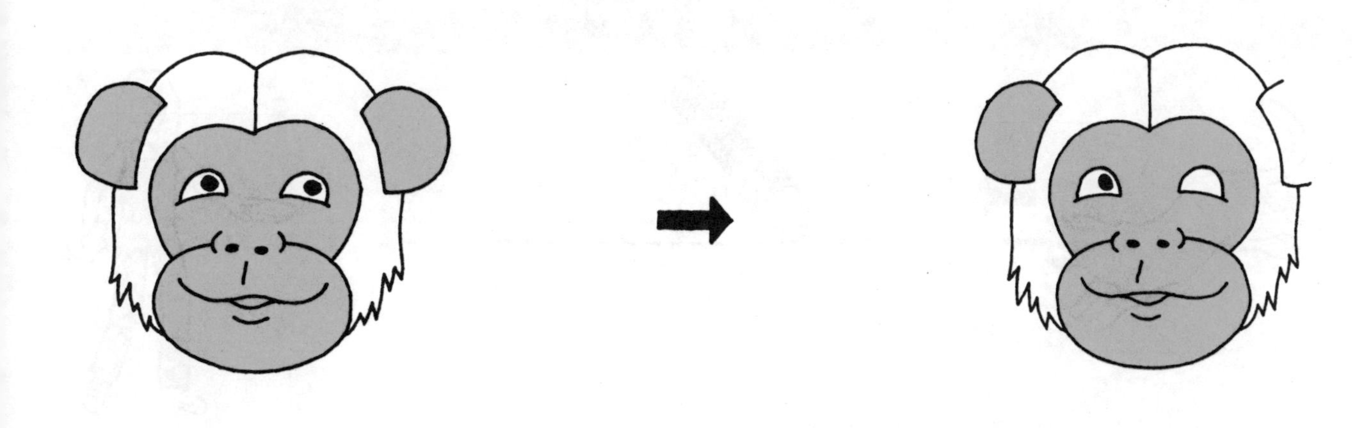

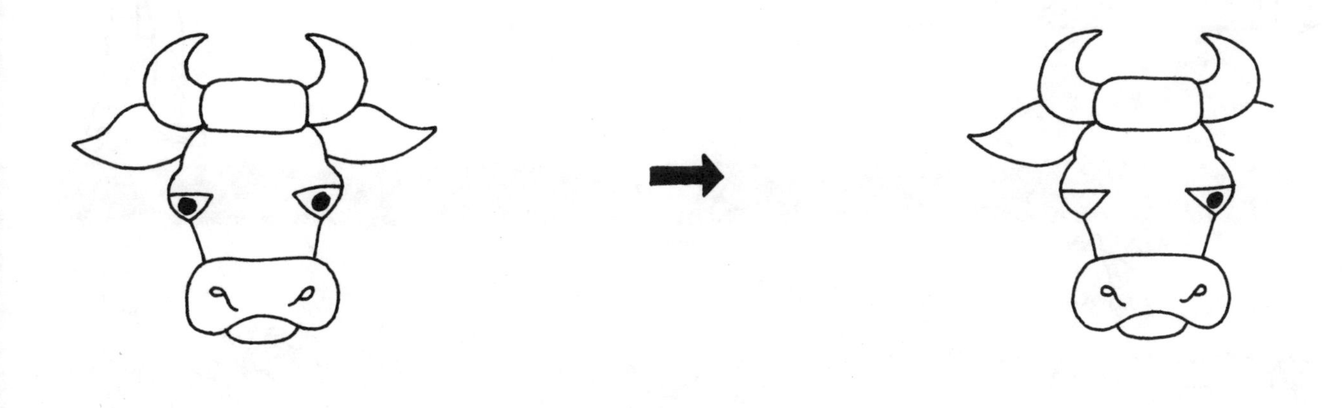

join up

colour

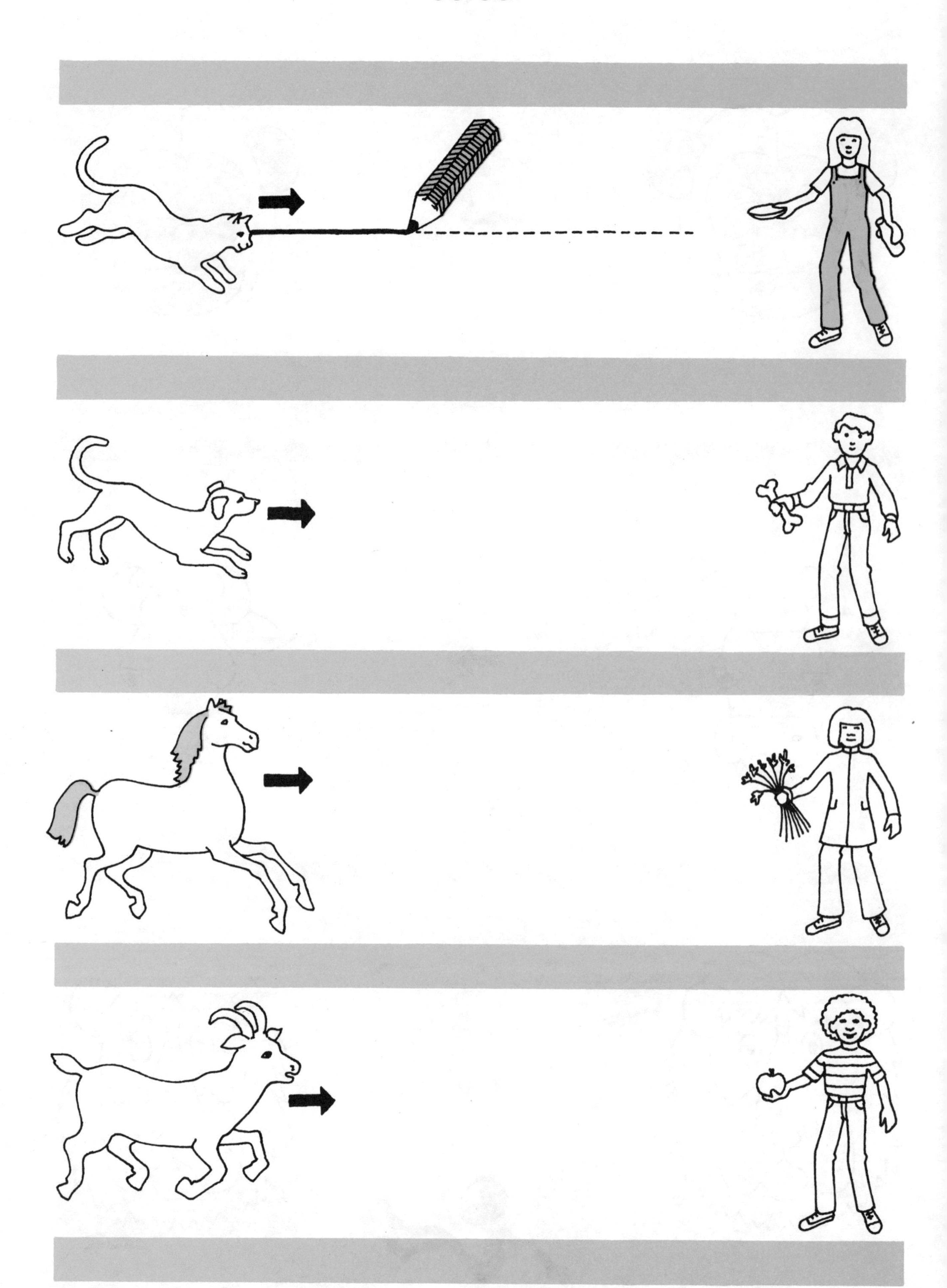

join up

colour

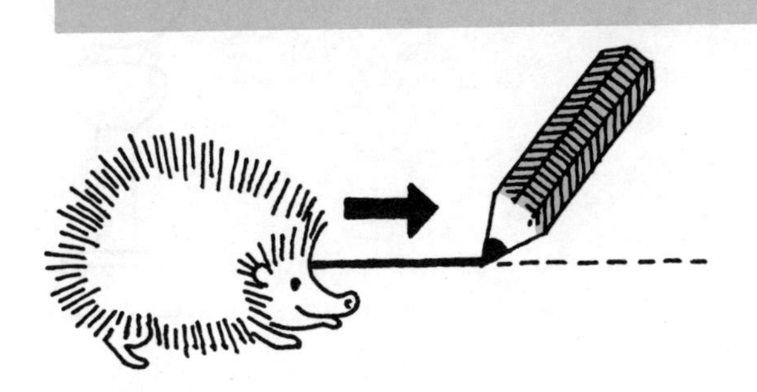

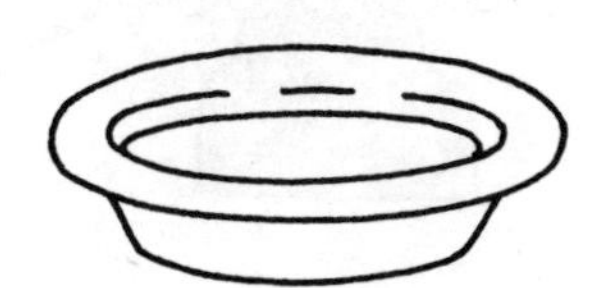

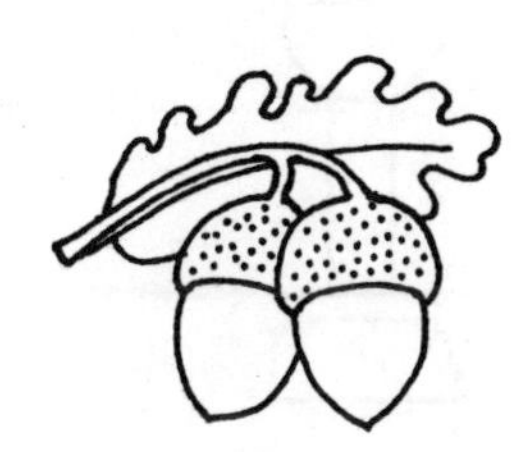

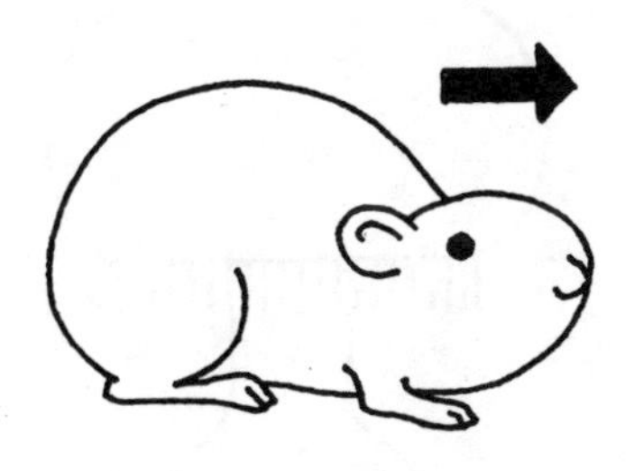

join up the same

colour

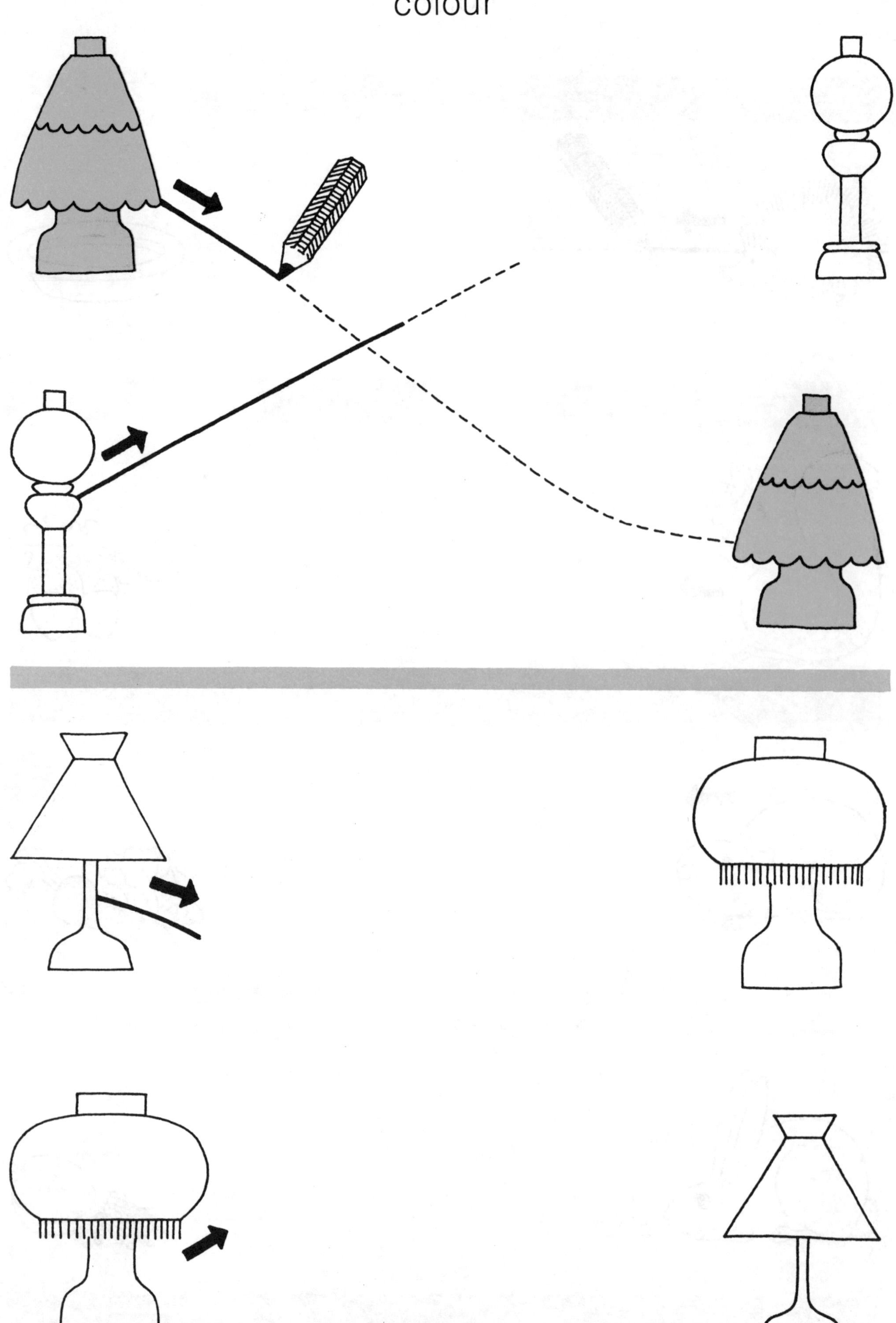

join up the same

colour

ring odd one out

colour

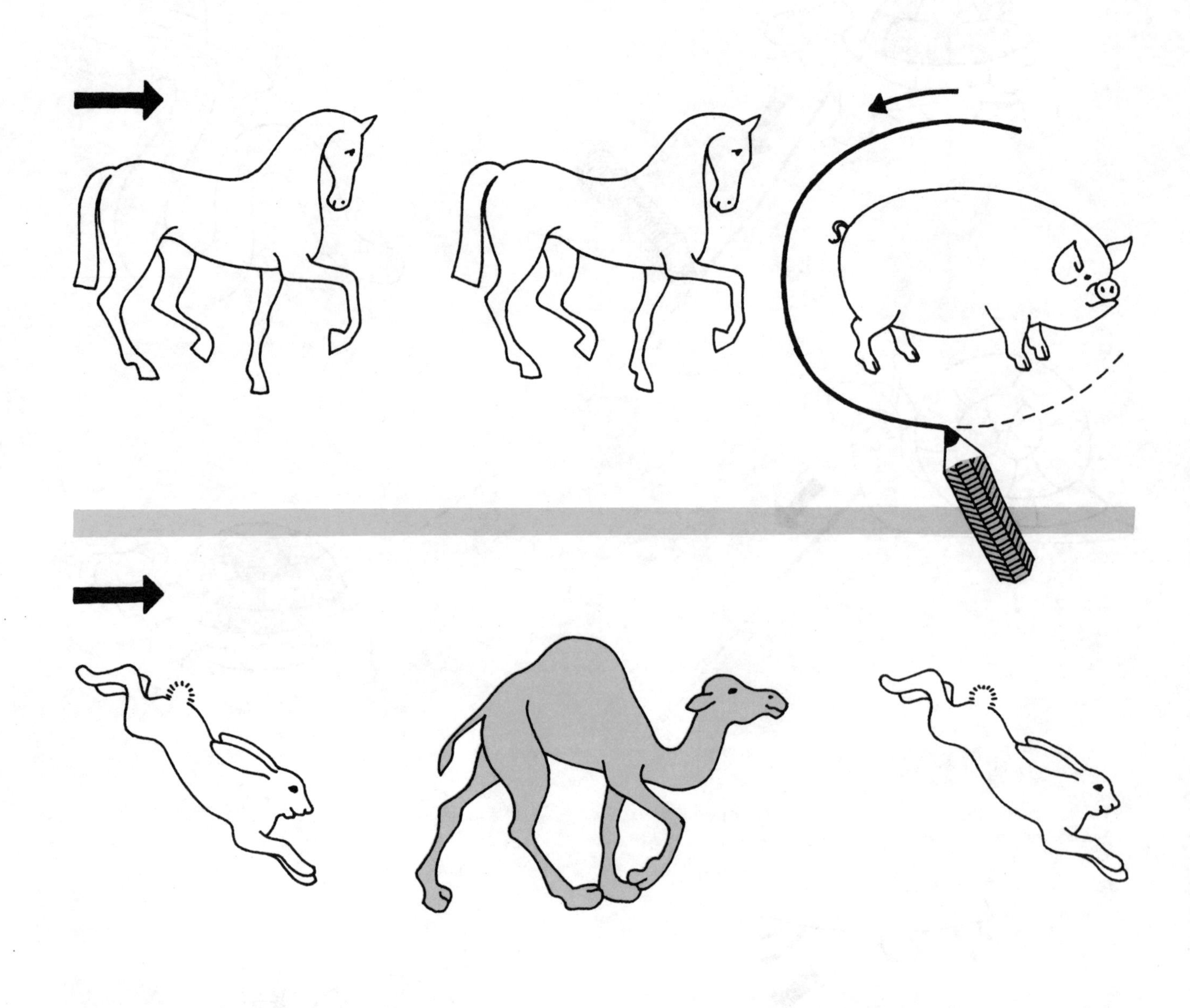

ring odd one out

colour

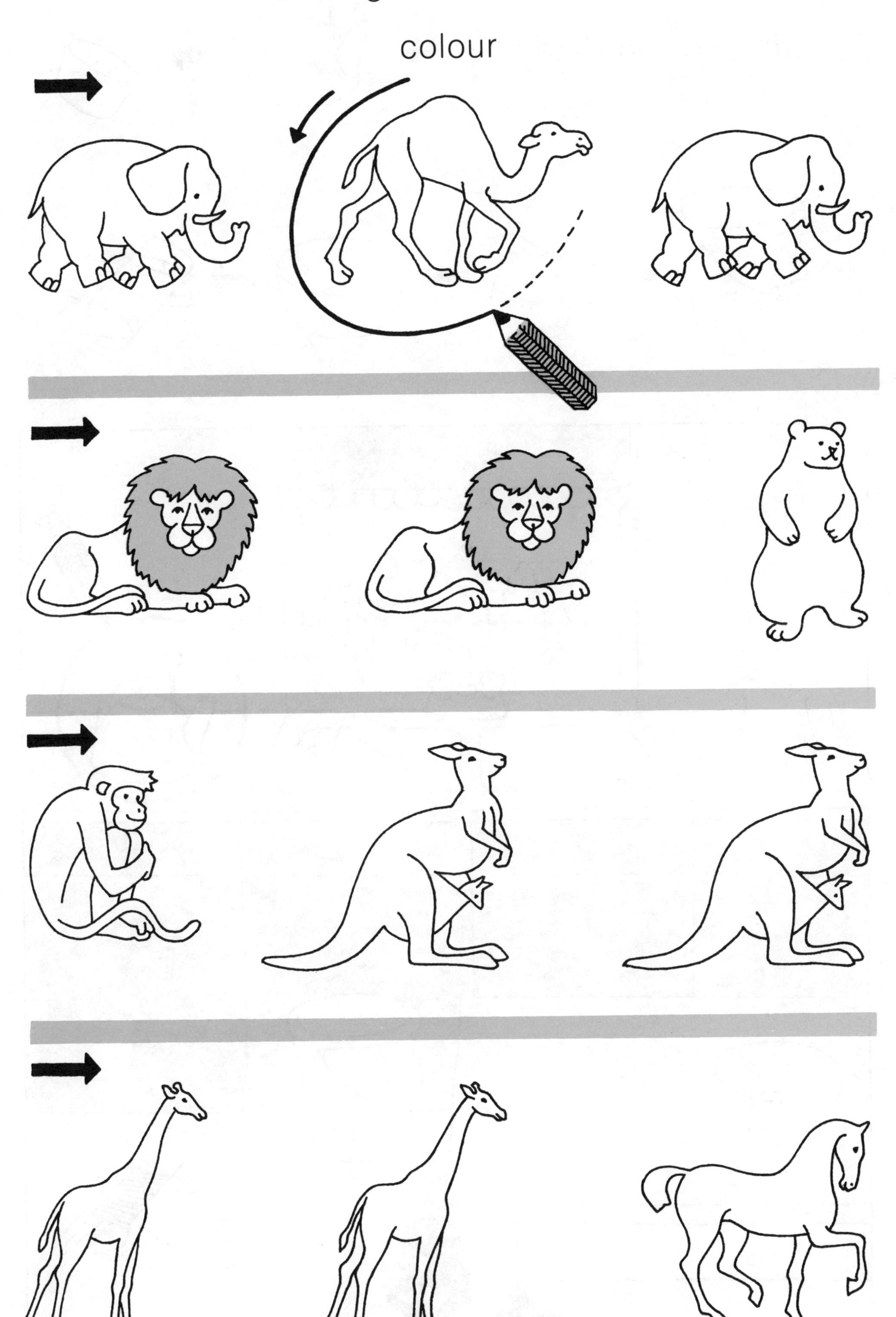

what can you see?

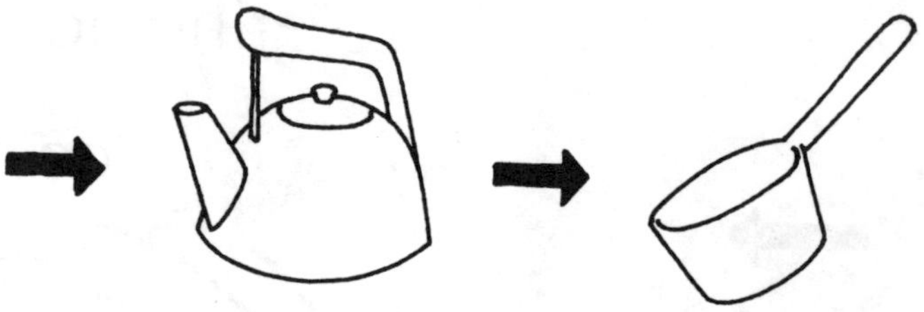

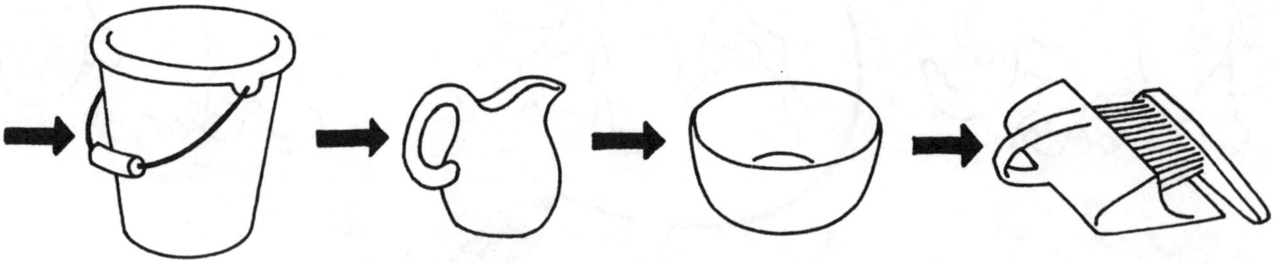

what can you see?

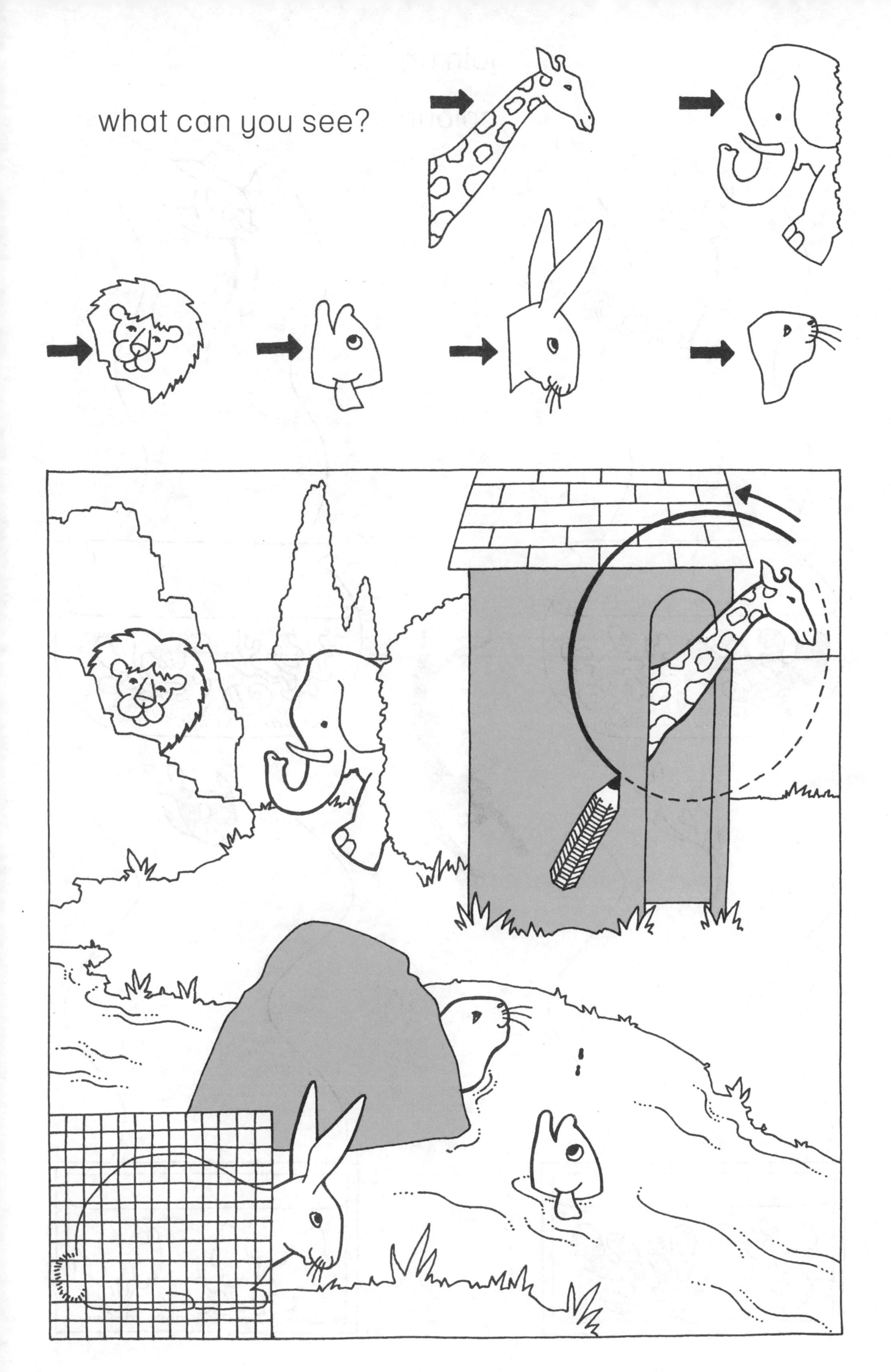

join up

colour

join up

colour

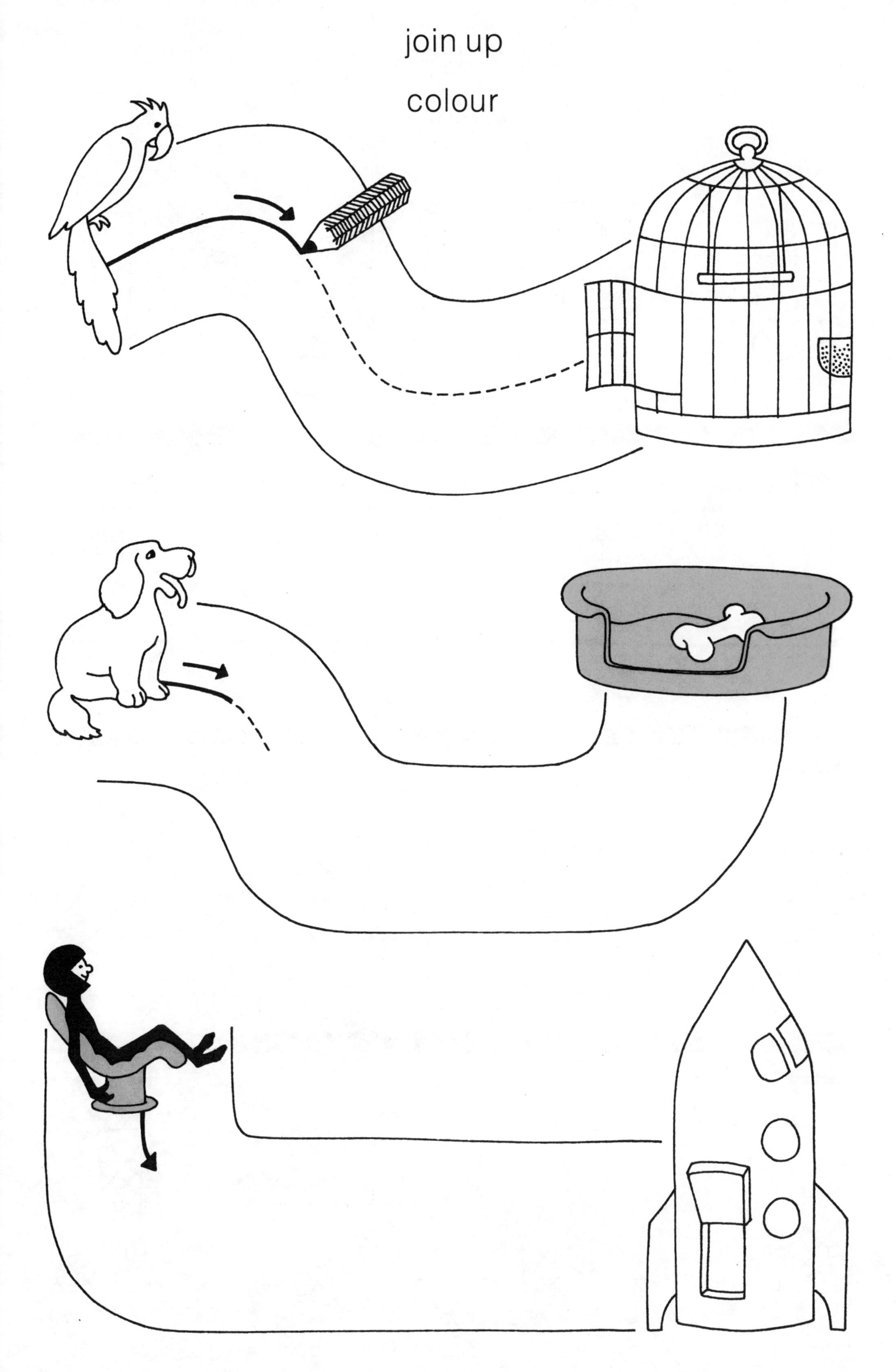

ring odd one out

colour

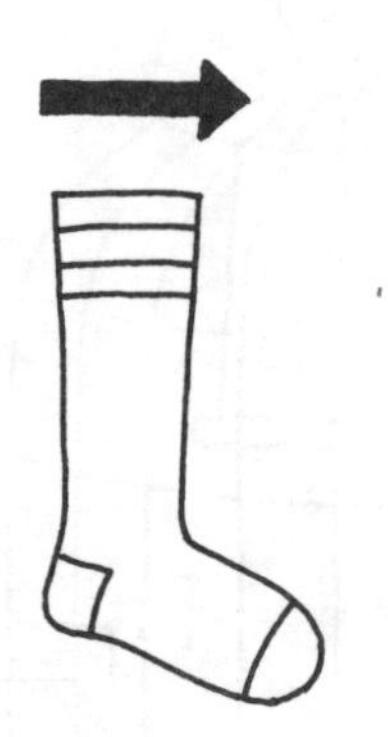

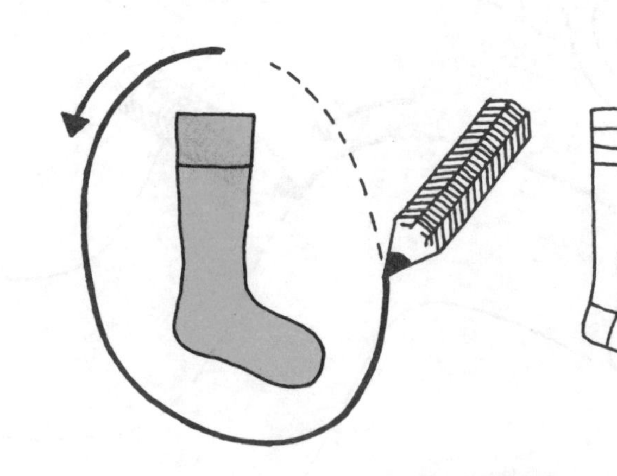

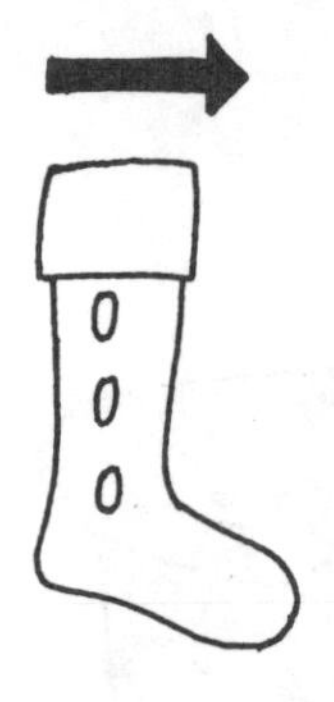

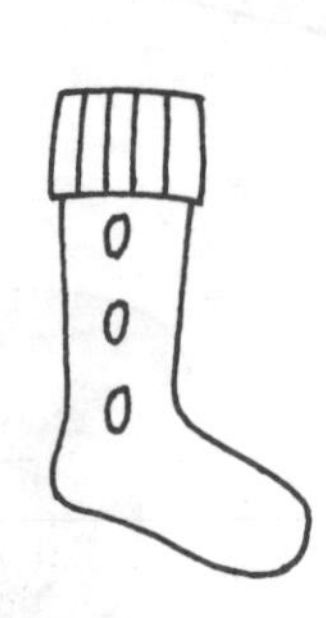

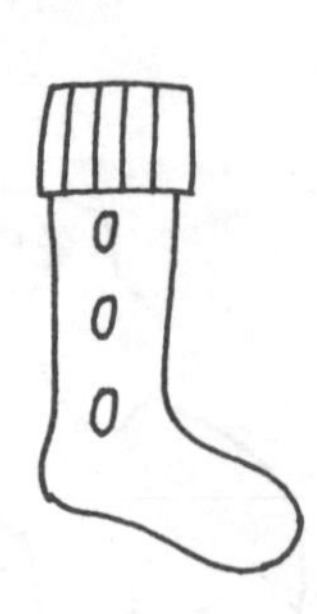

ring odd one out

colour

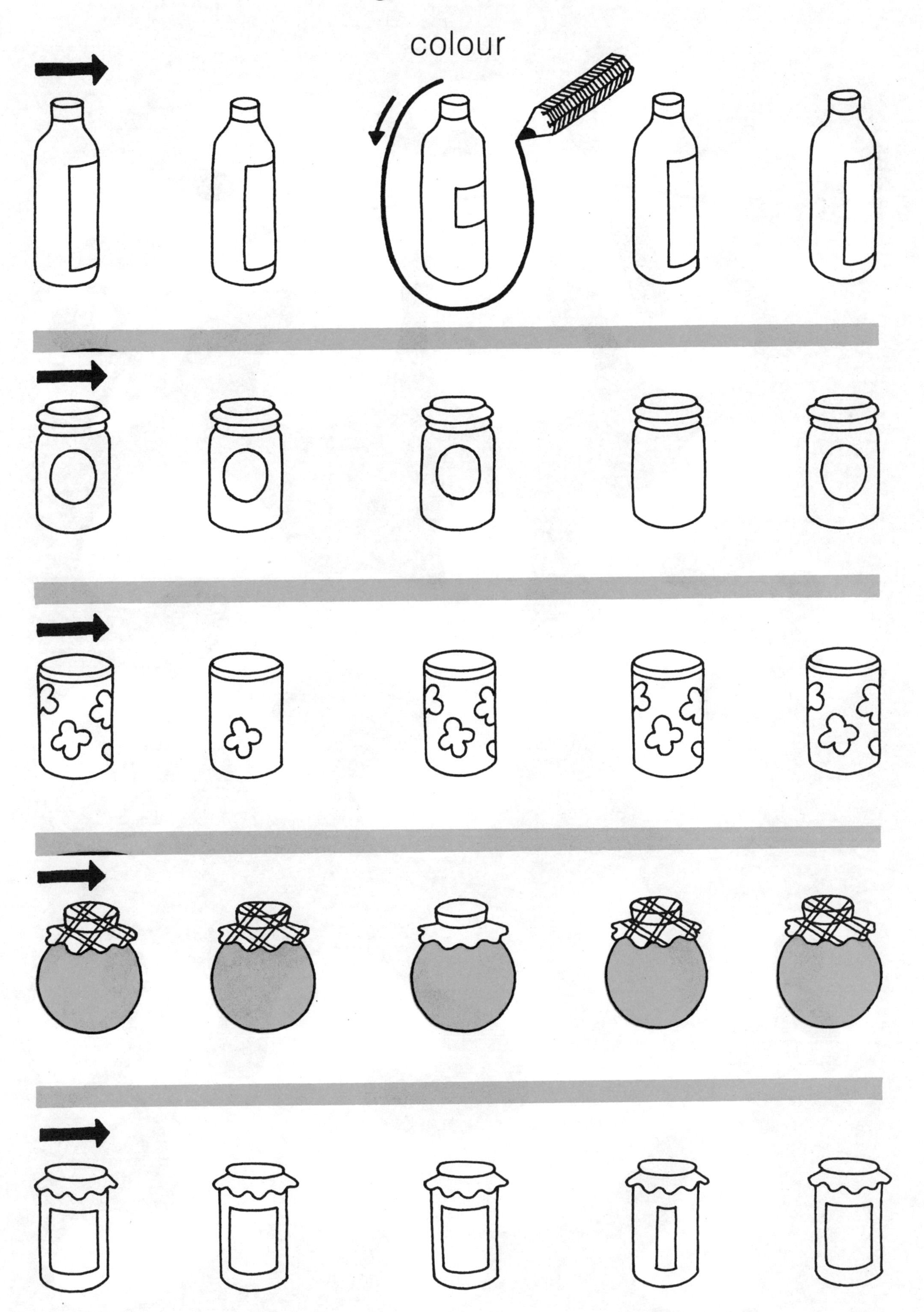

join up

colour

join up the same

colour

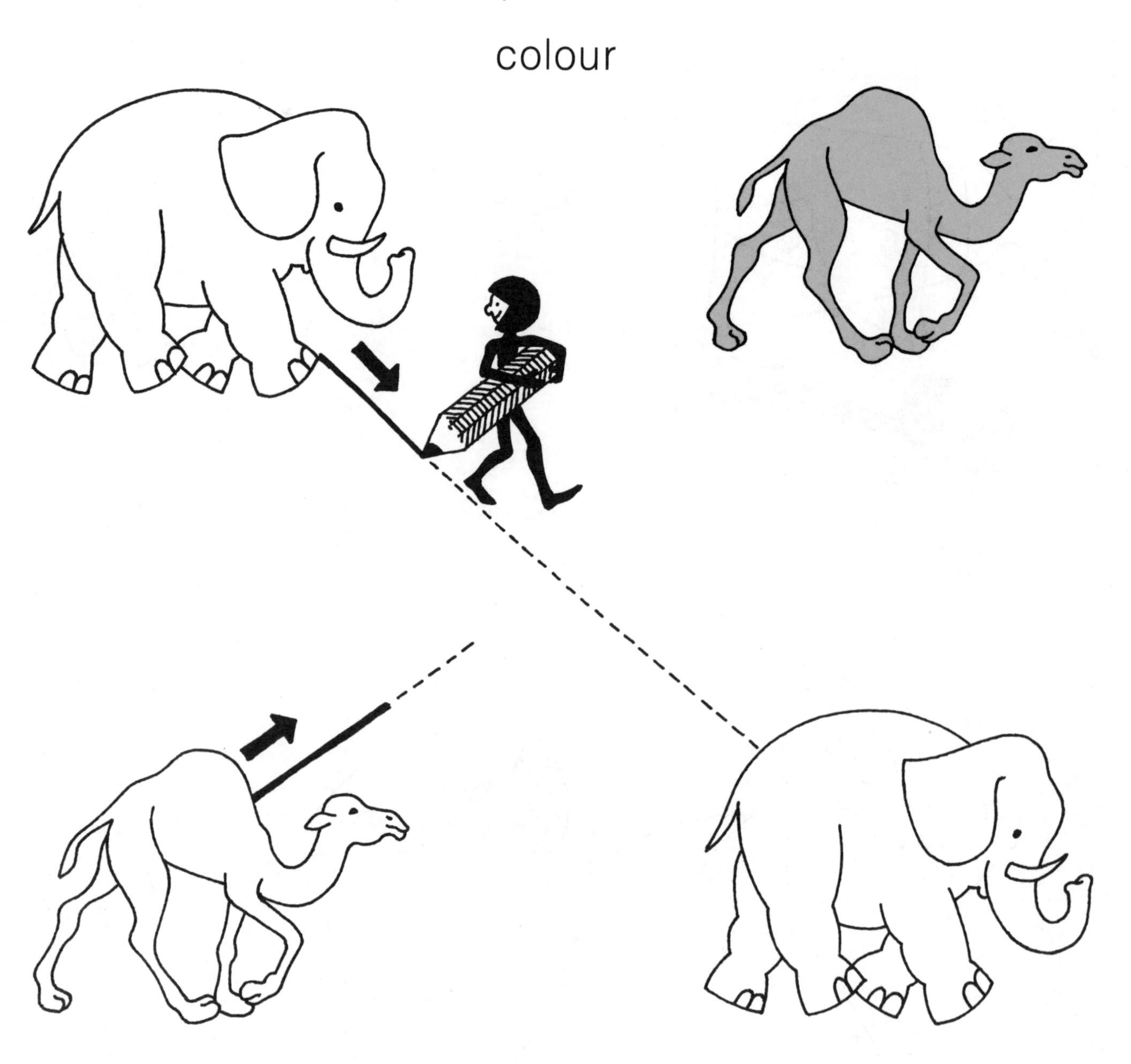

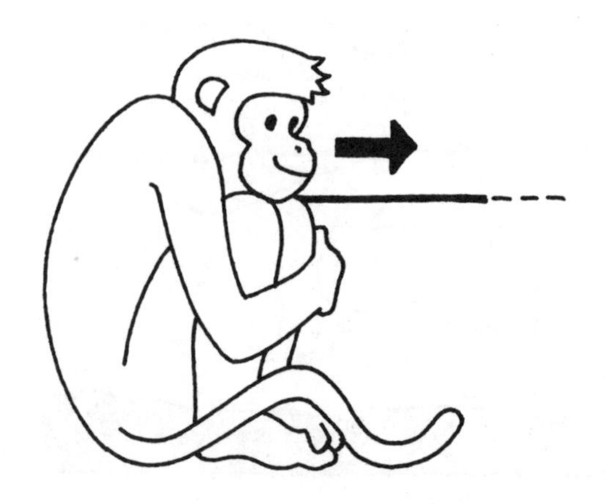

join up the same

colour

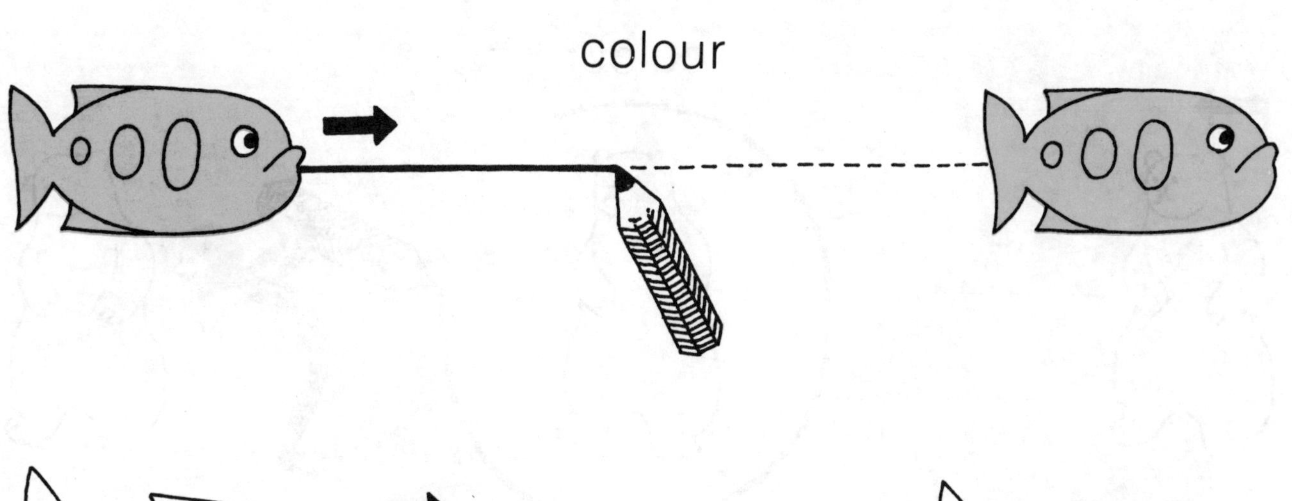

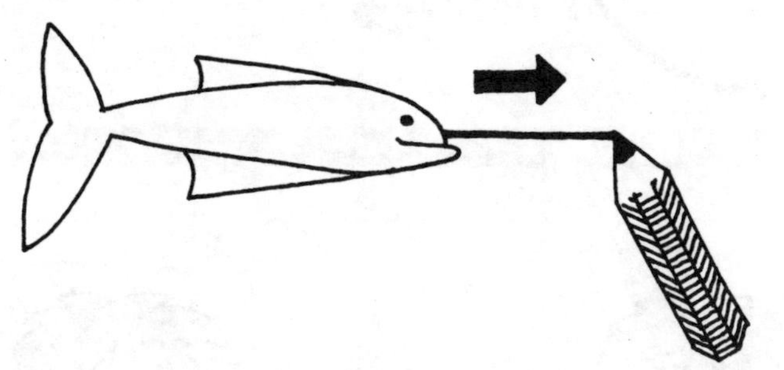

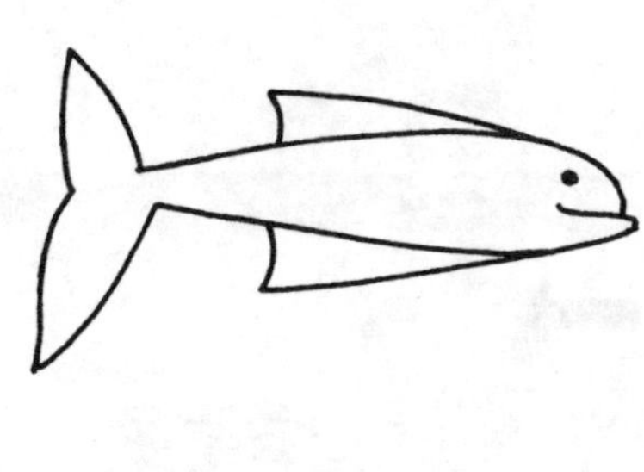

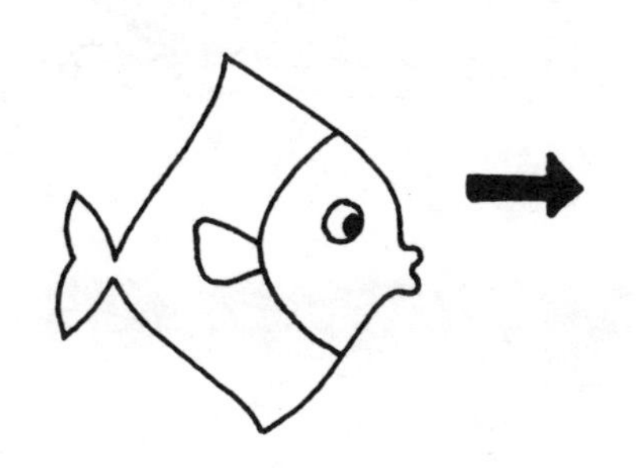

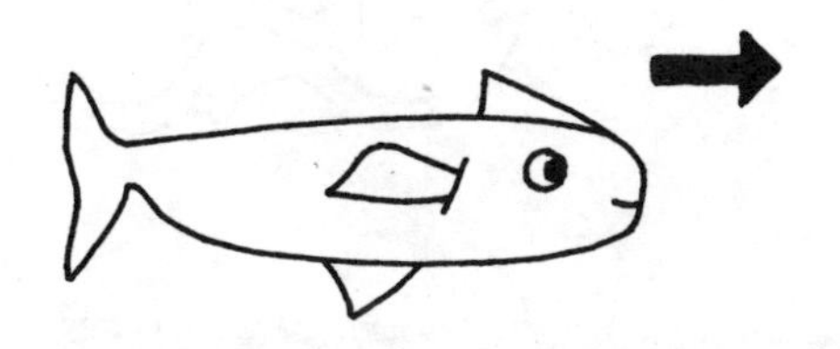

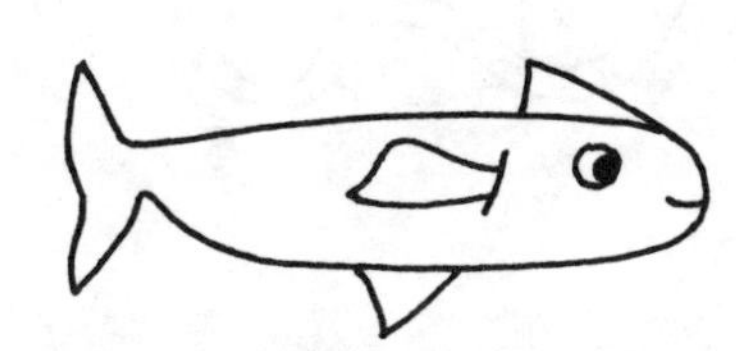

ring odd one out

colour

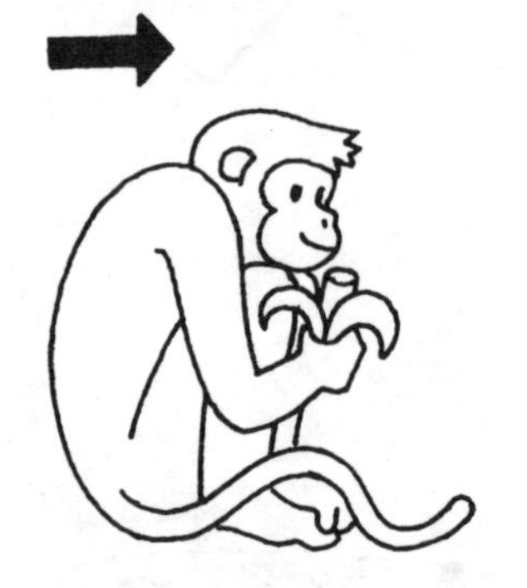

ring odd one out

colour

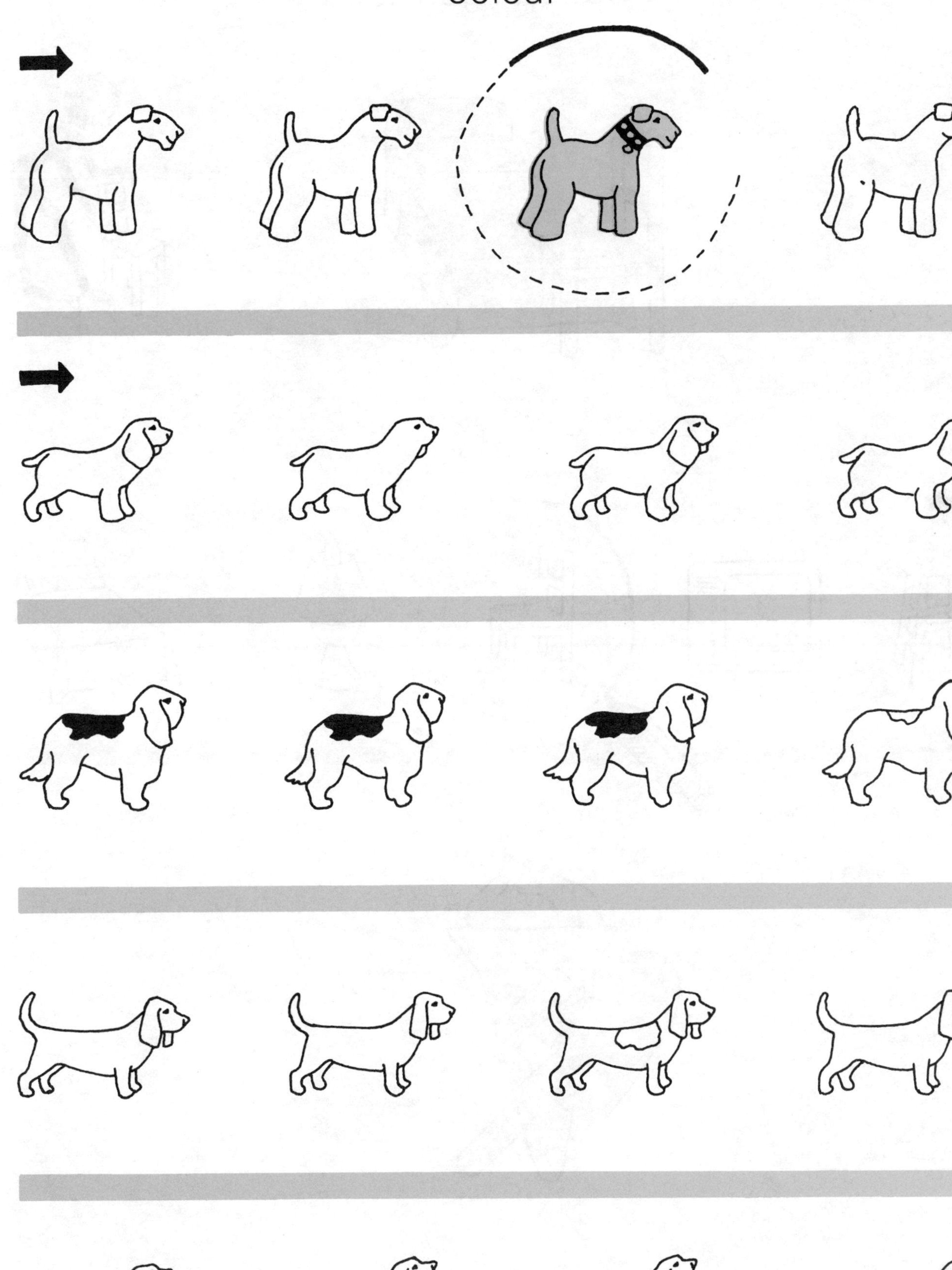

what can you see?

what can you see?

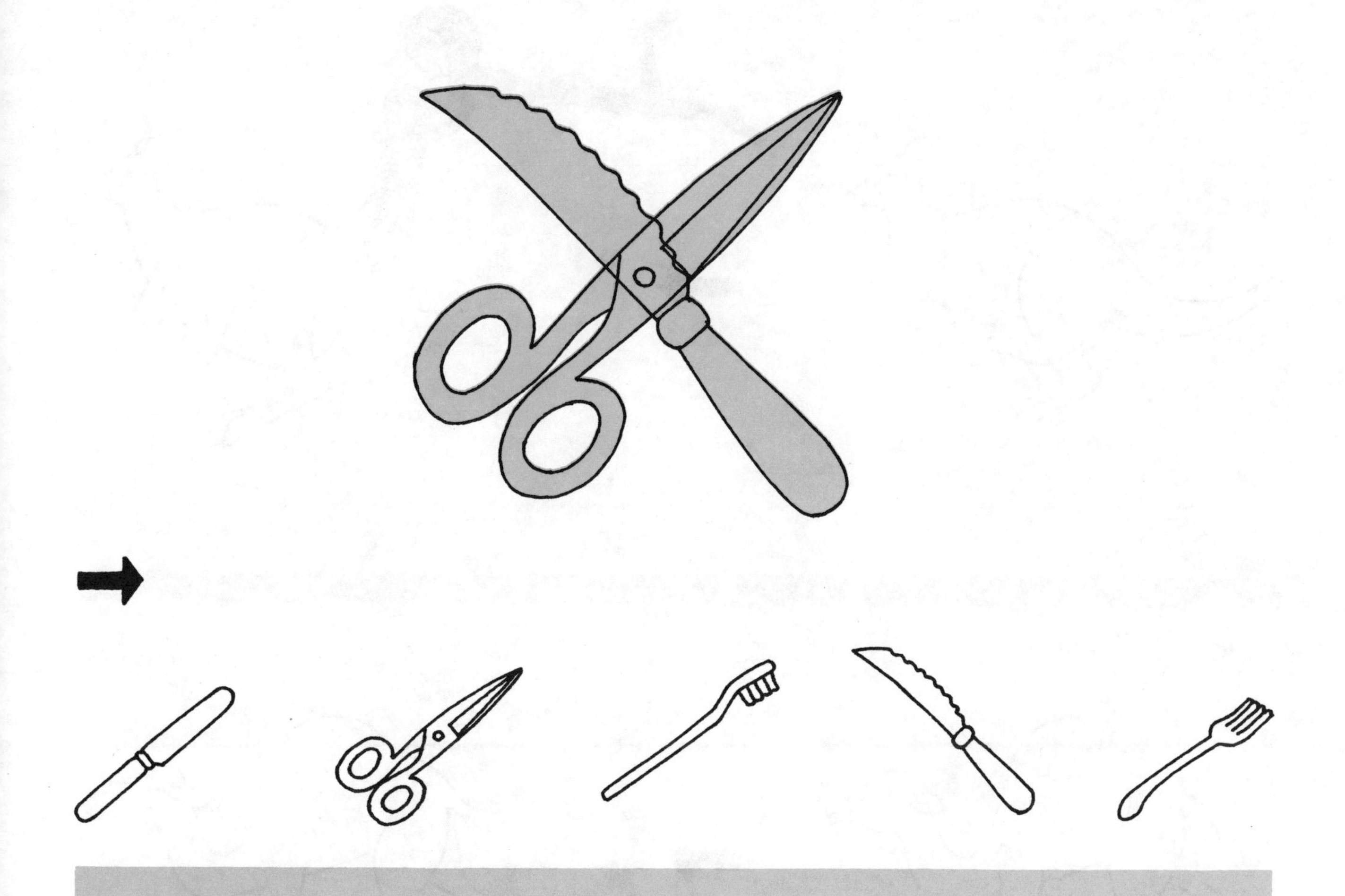

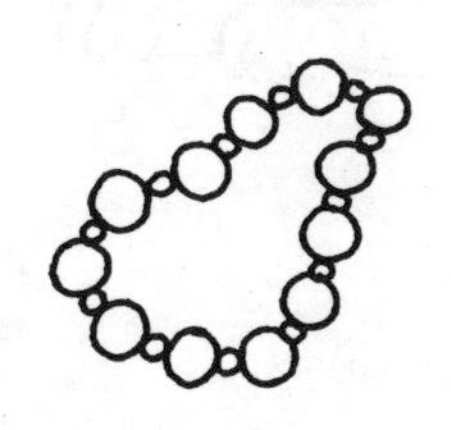

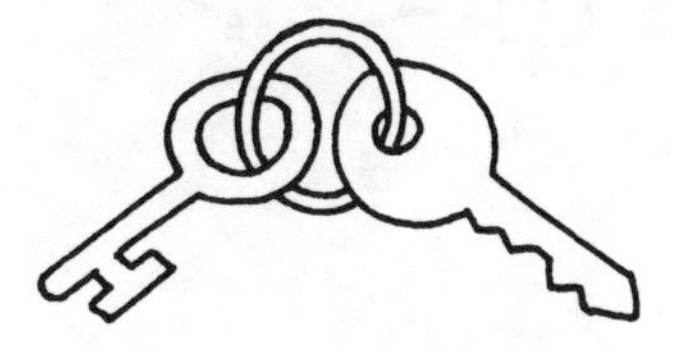

make the same

colour

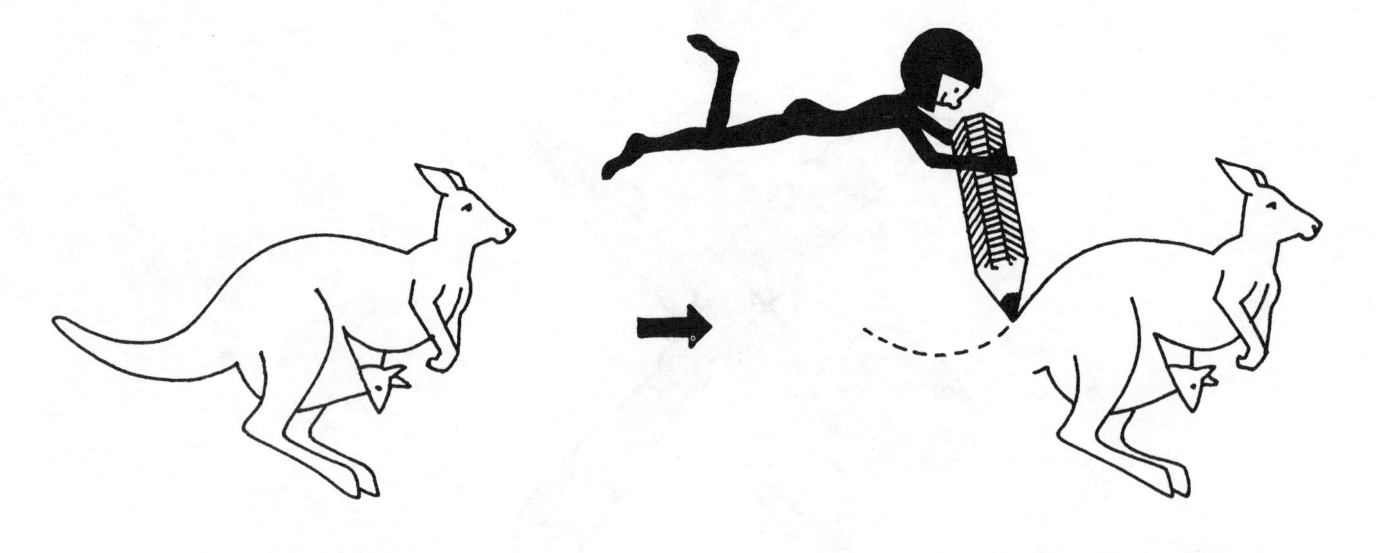

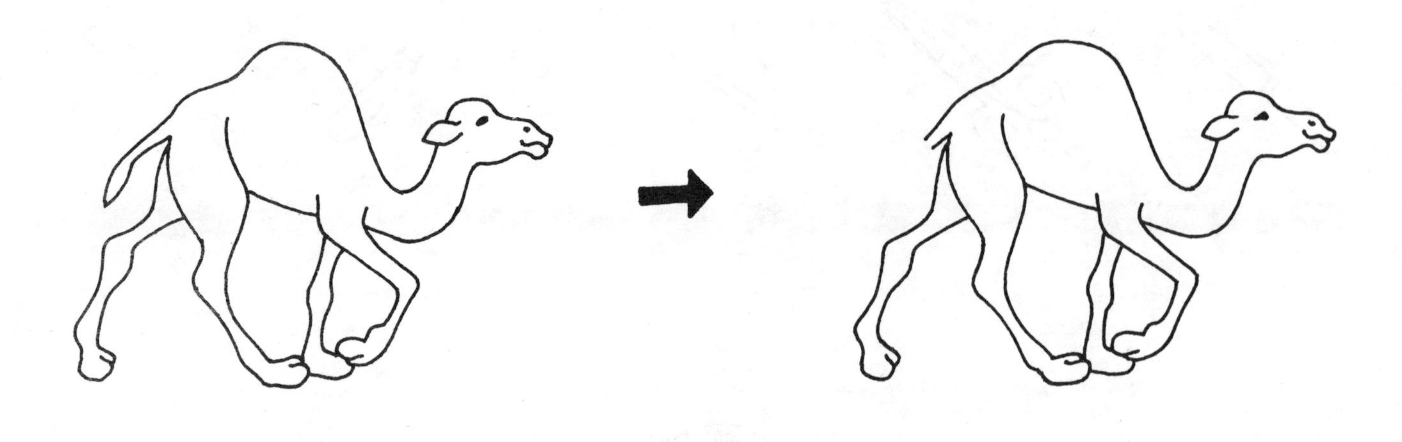

make the same

colour

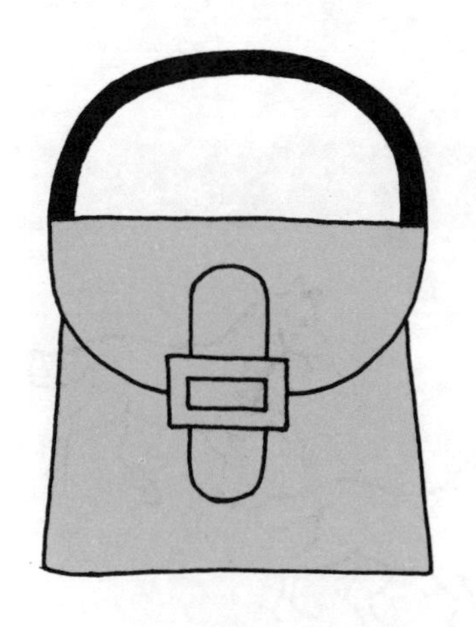

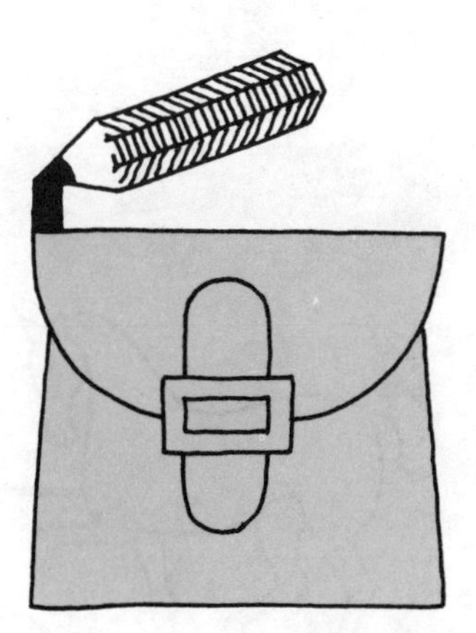

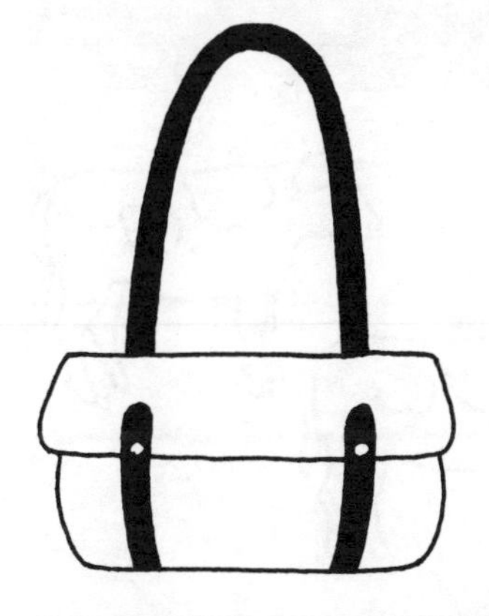

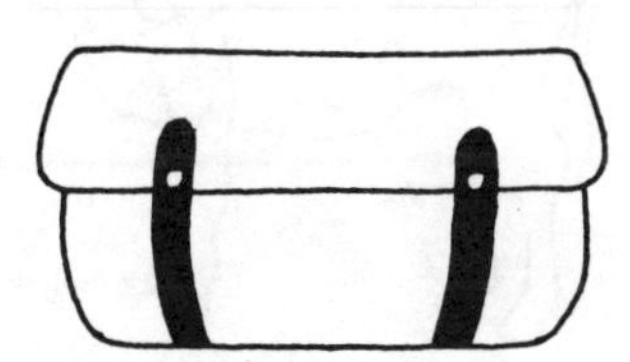

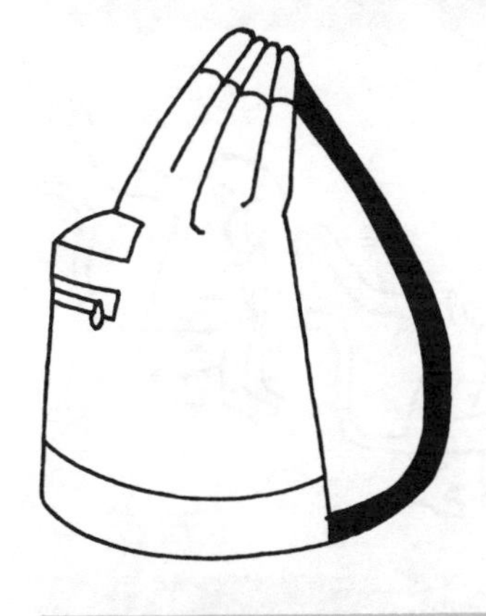

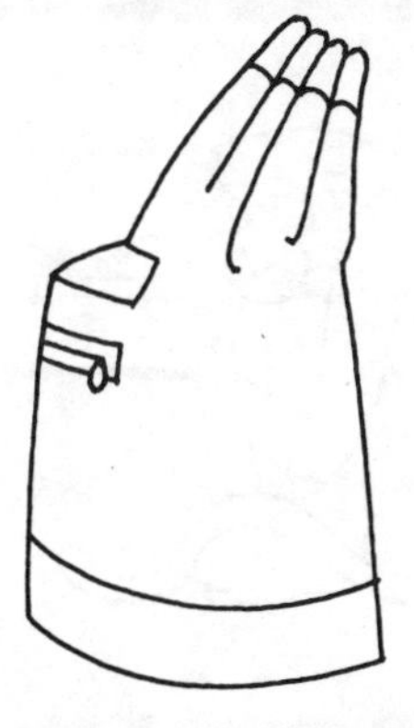

join up

colour

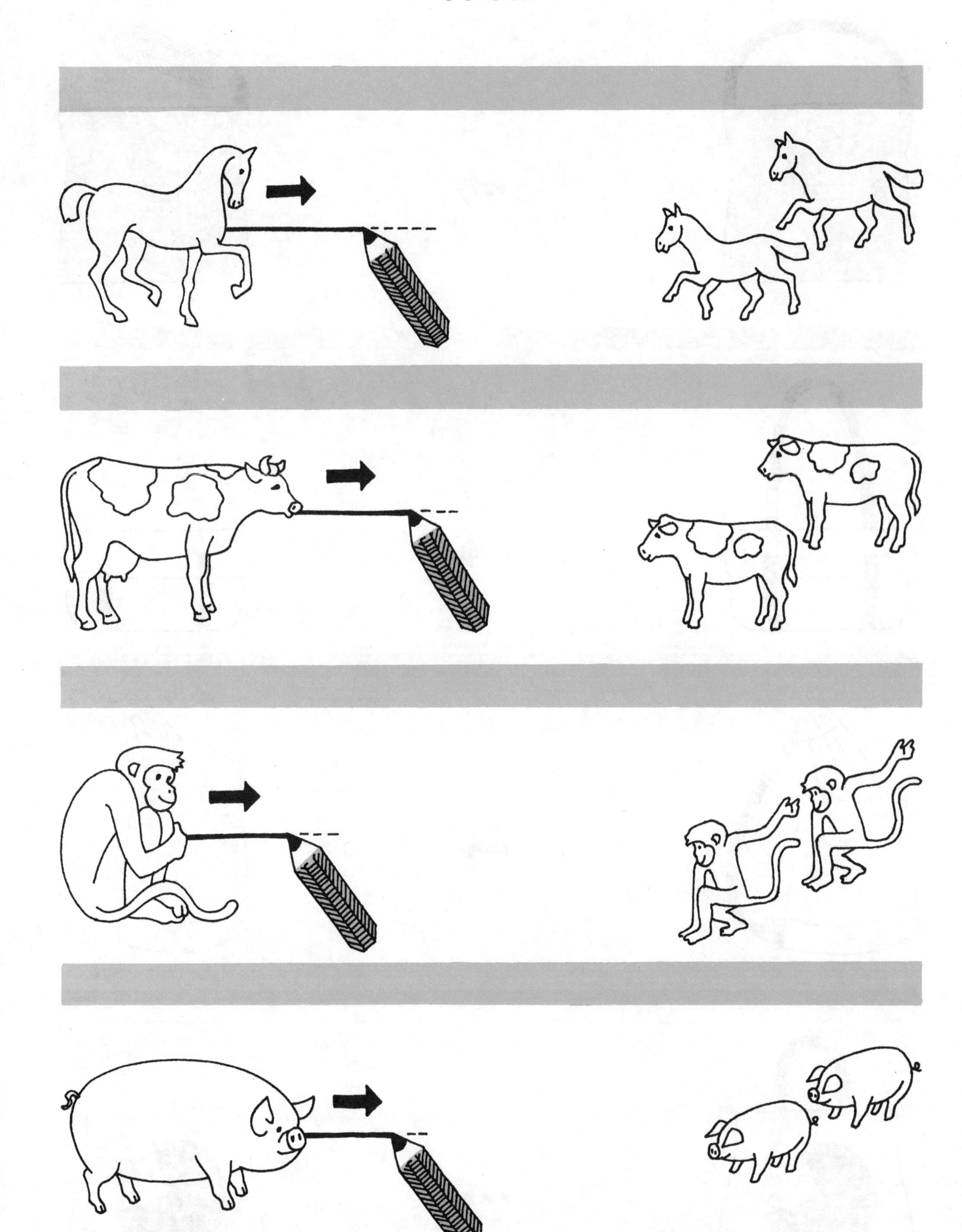

join up

colour

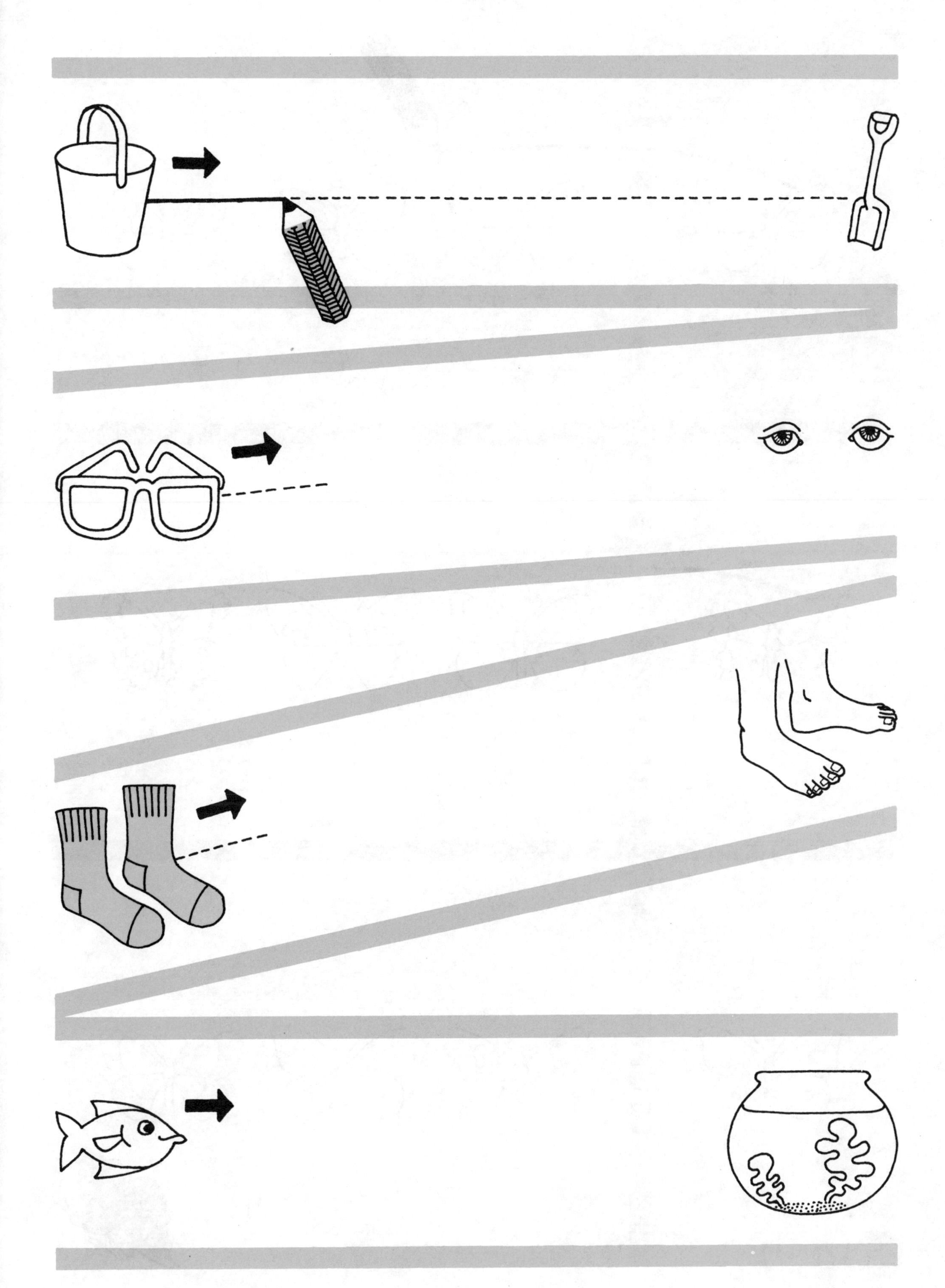

join up the same

colour

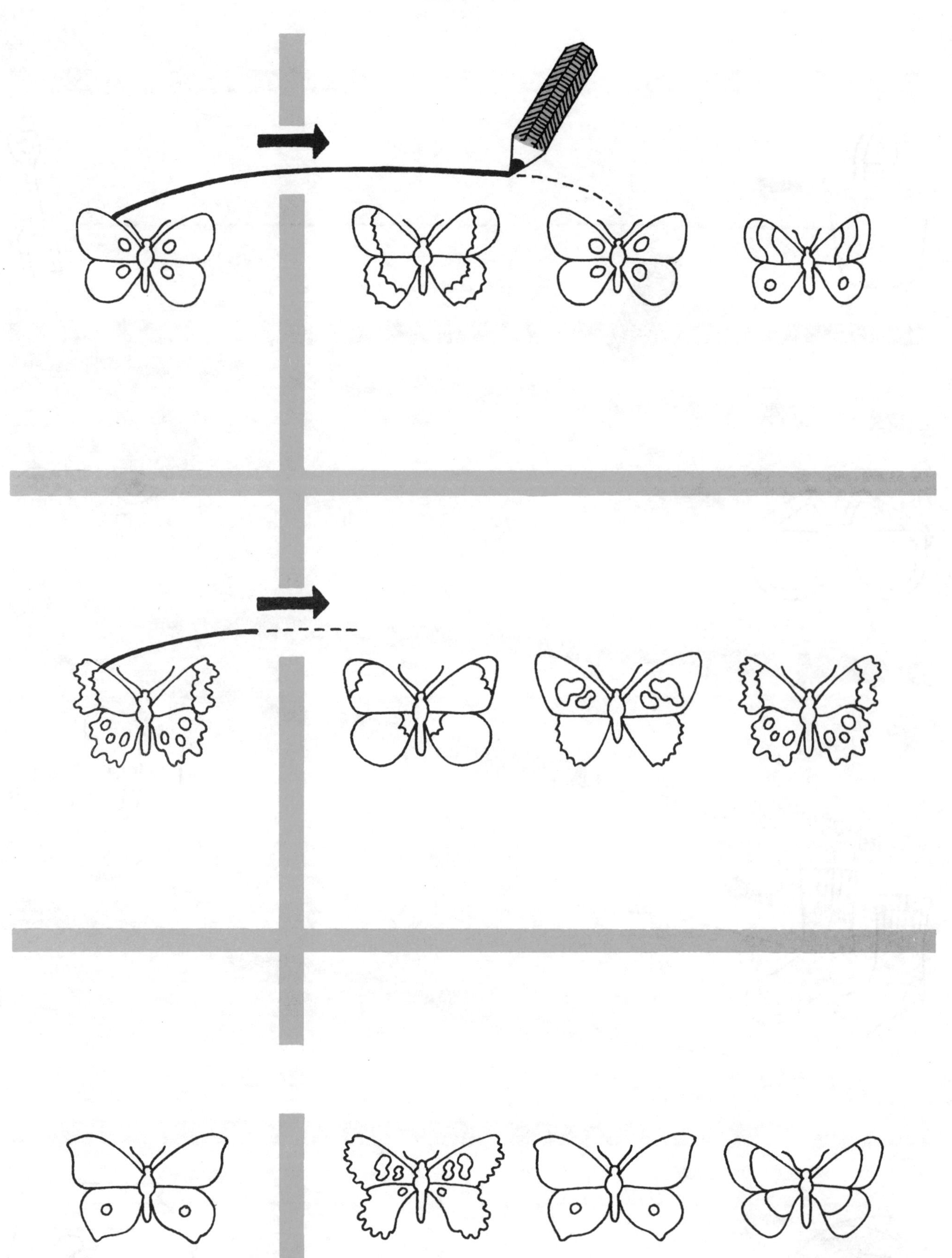

join up the same

colour

ring odd one out

colour

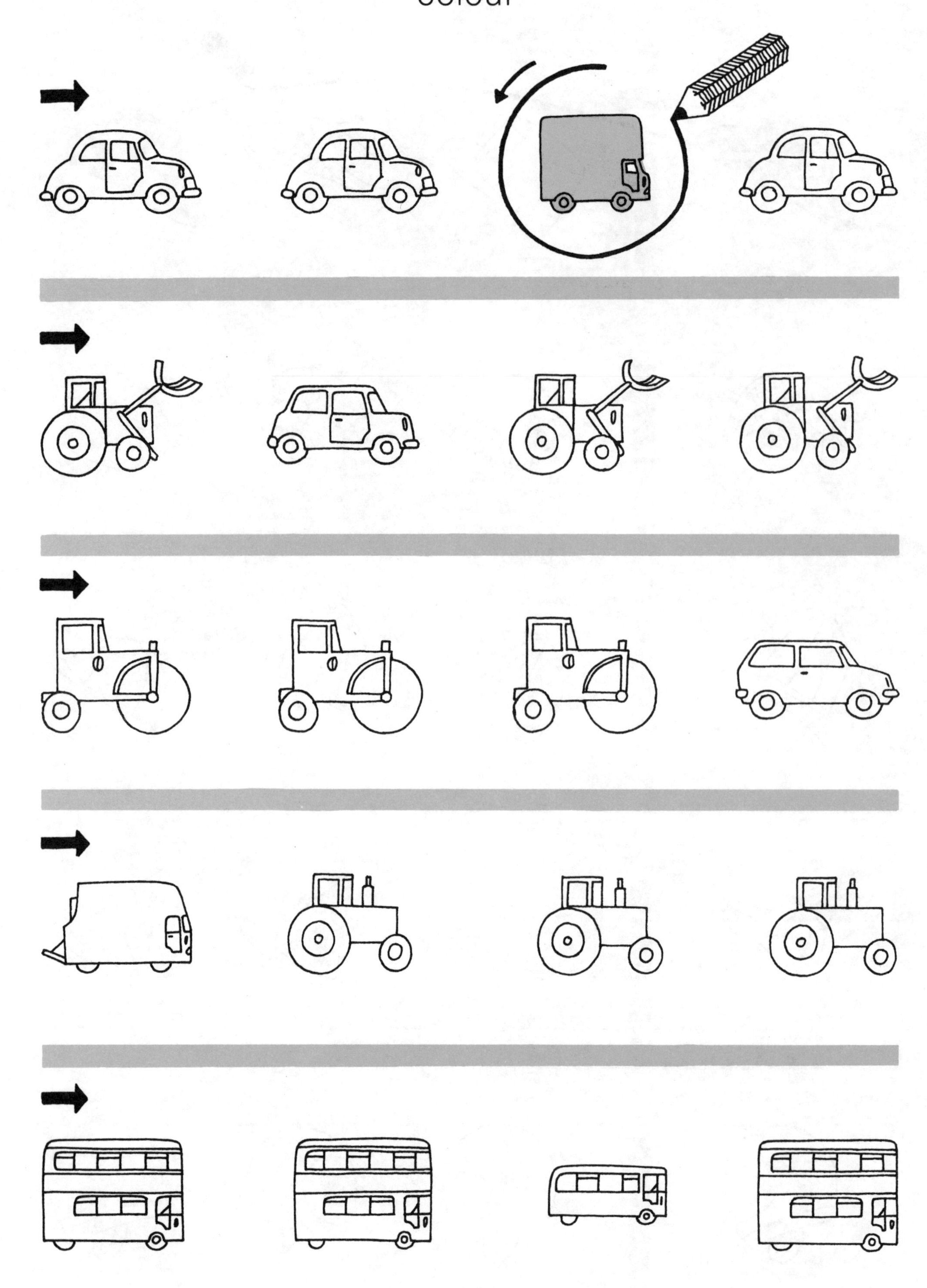

ring odd one out

colour

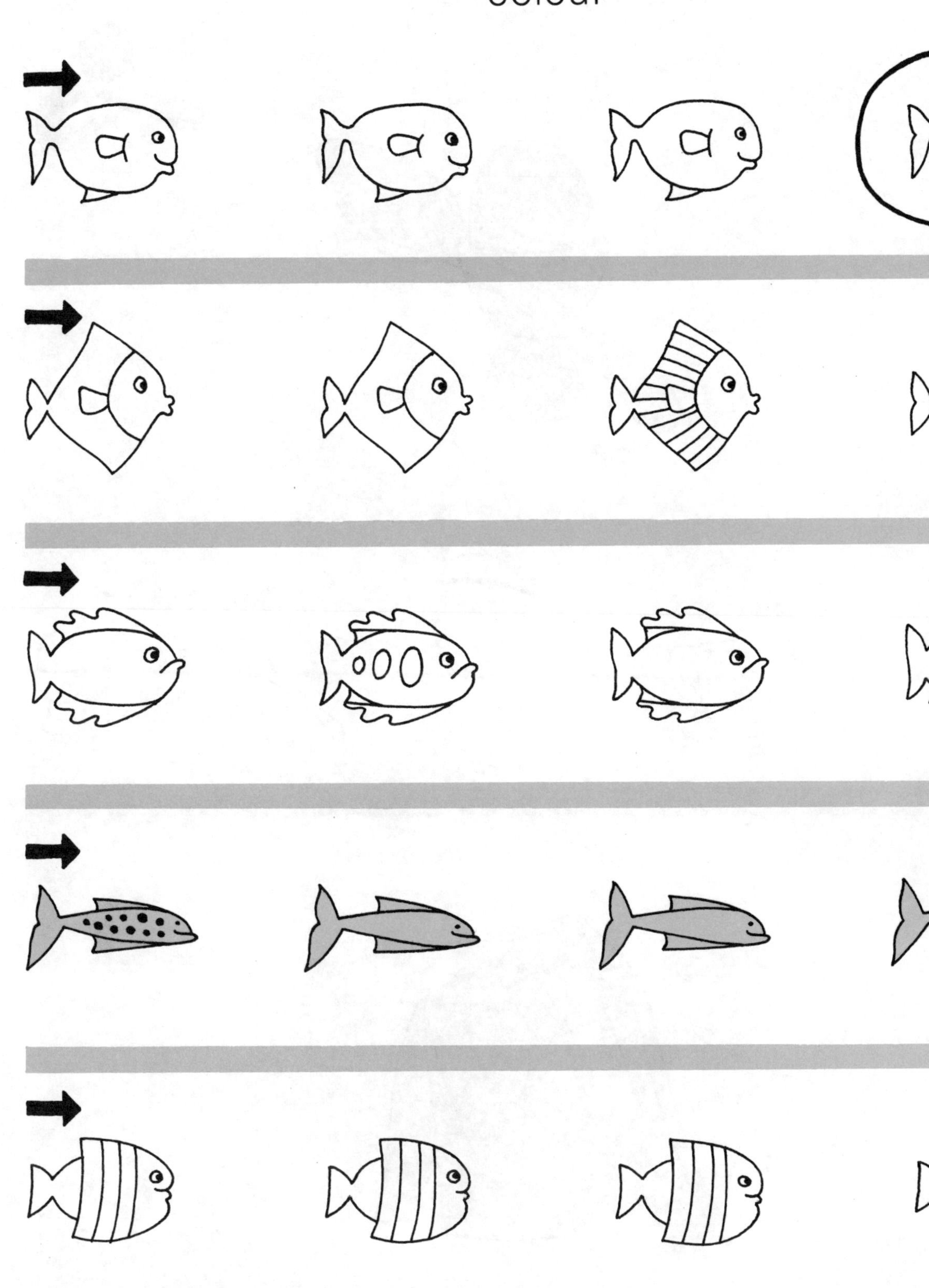

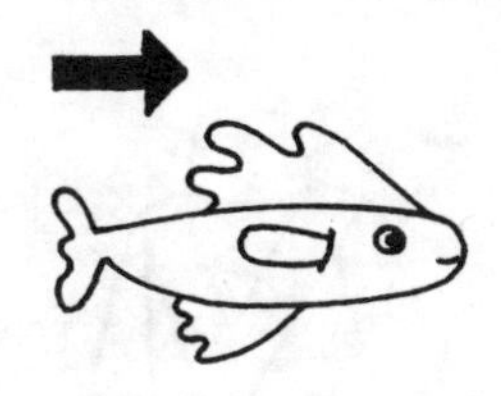

what can you see?

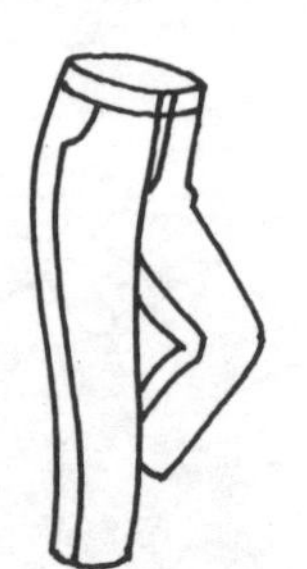

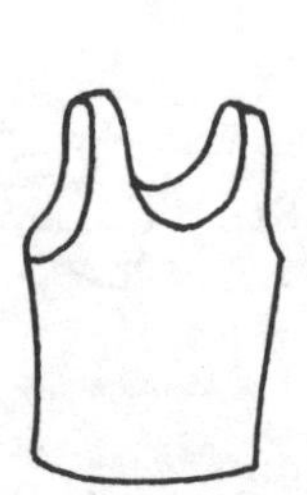

what can you see?

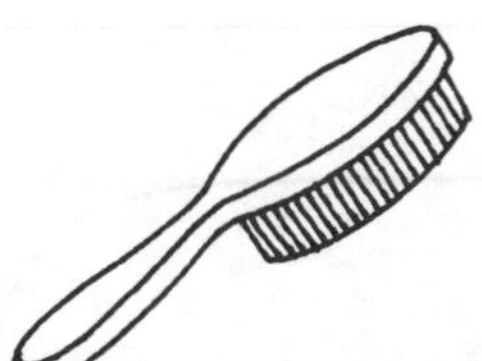

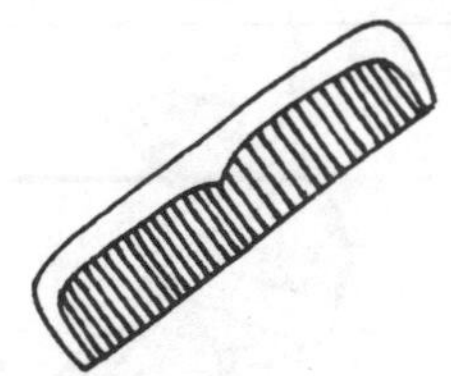

join up

colour

join up

colour

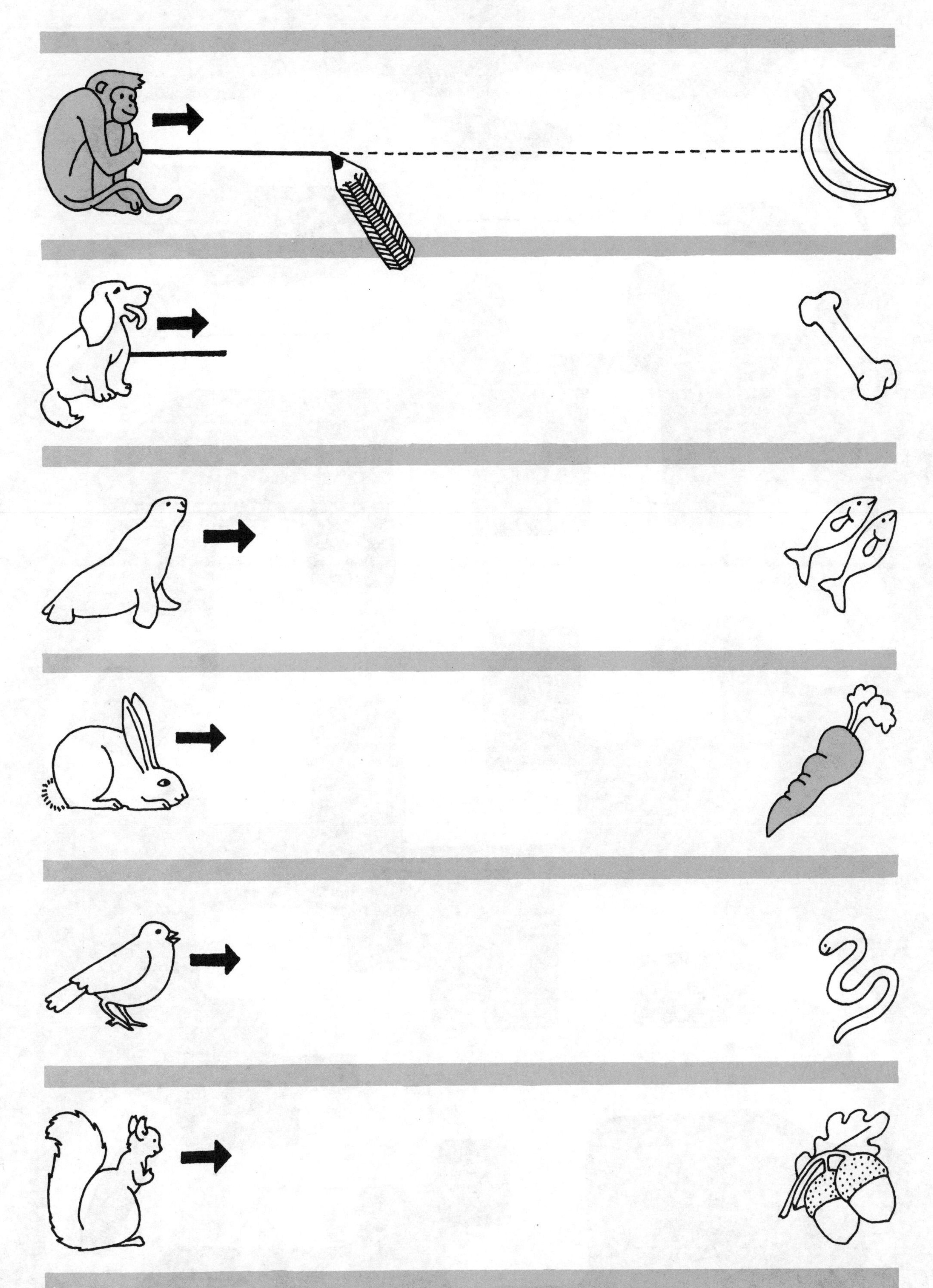

join up

colour

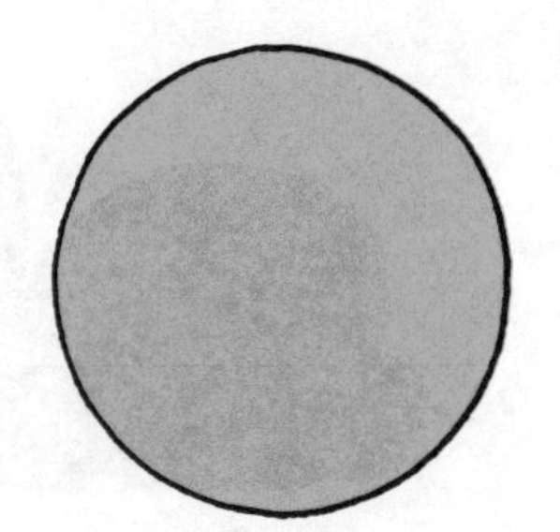

join up the same

join up the same

colour

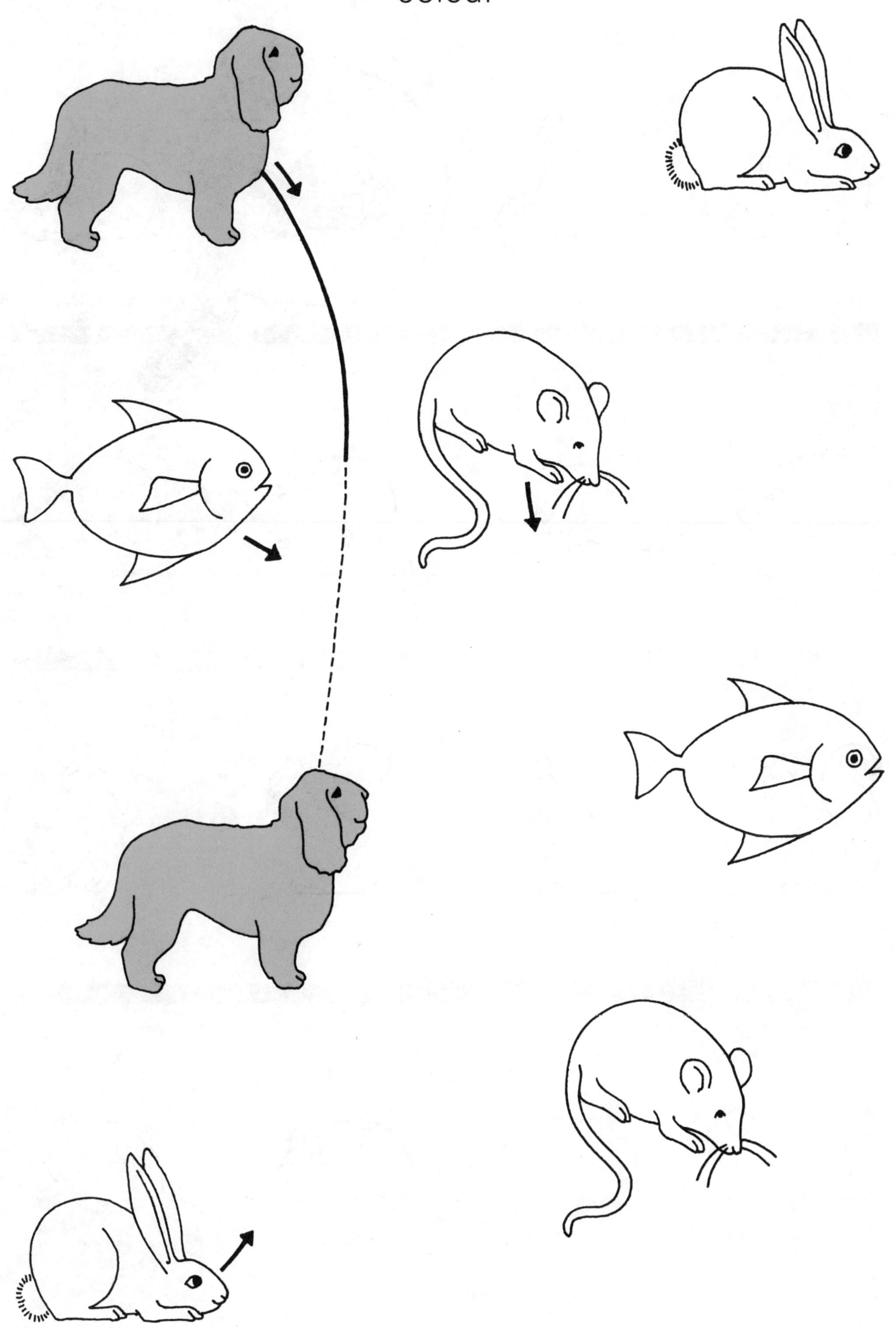

ring odd one out

colour

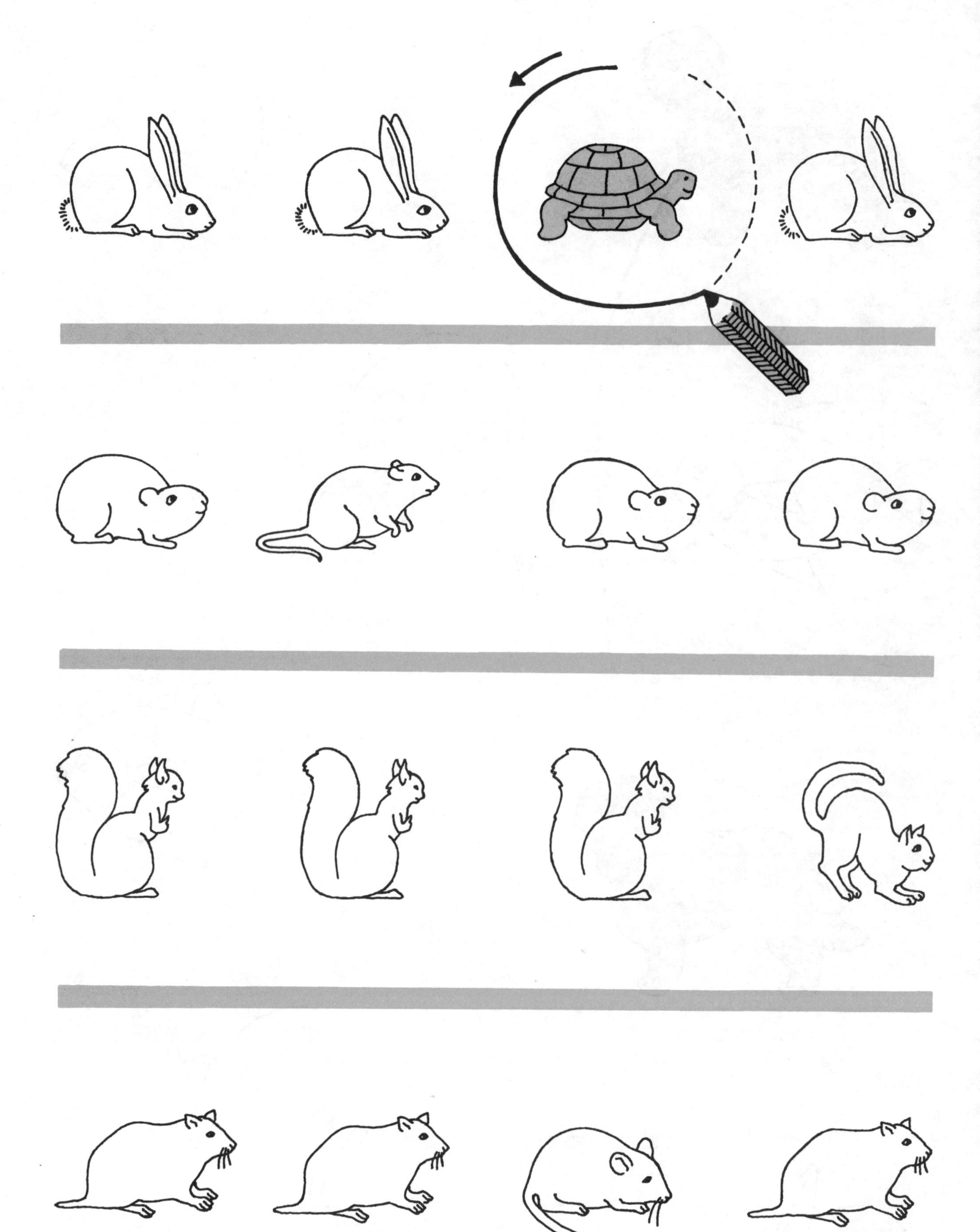

ring odd one out

colour

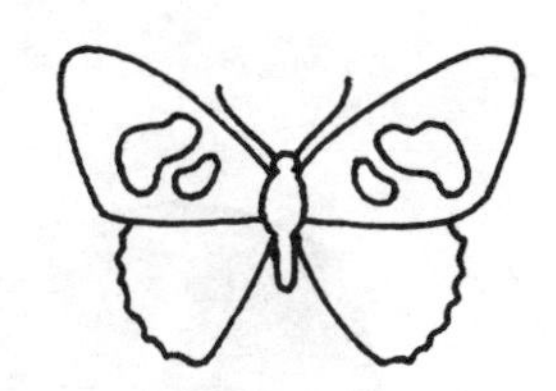

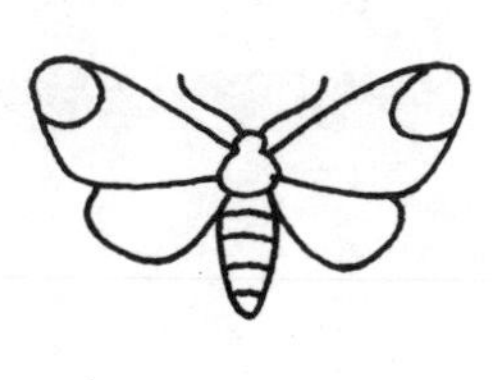

make the same

colour

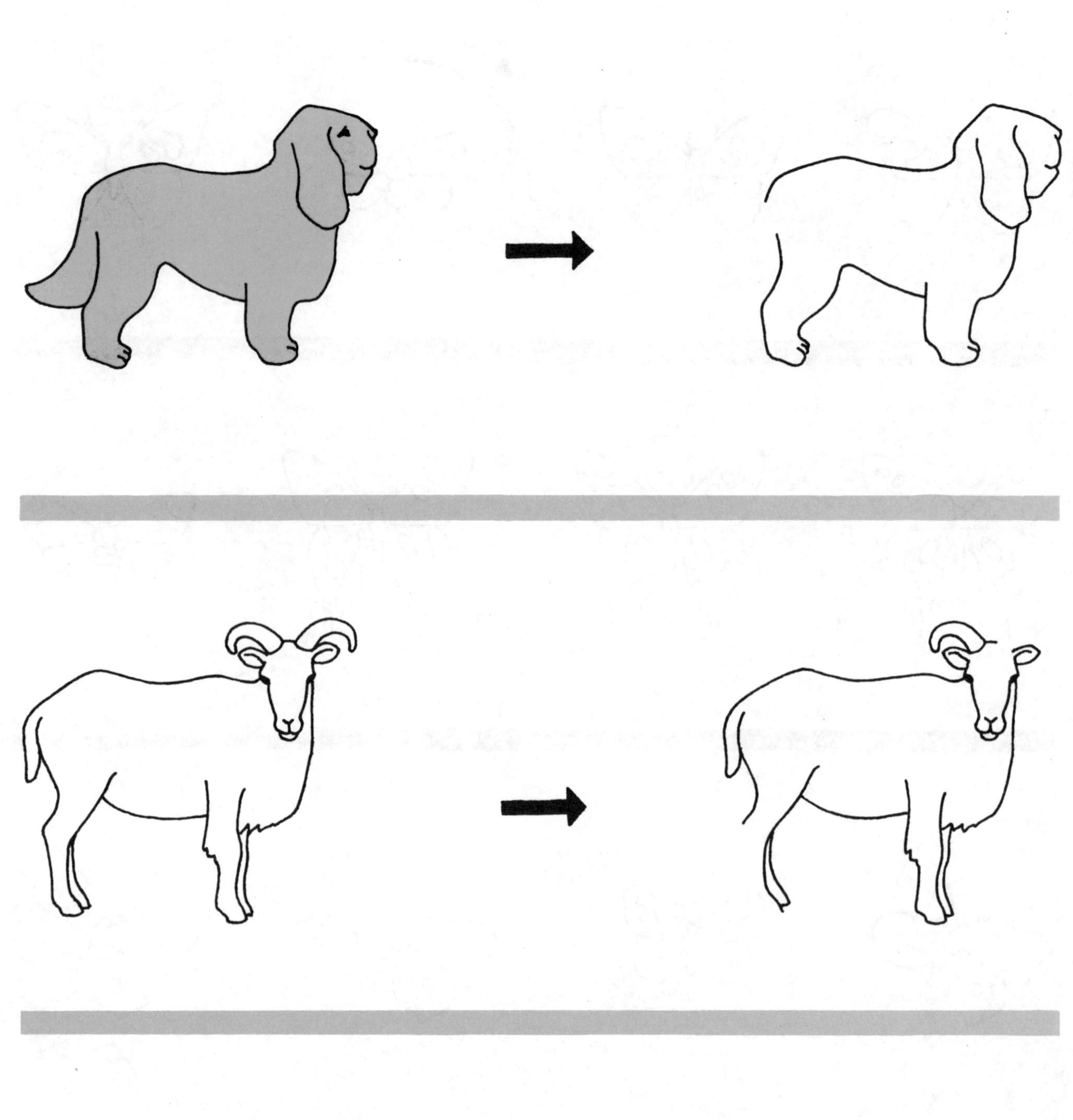

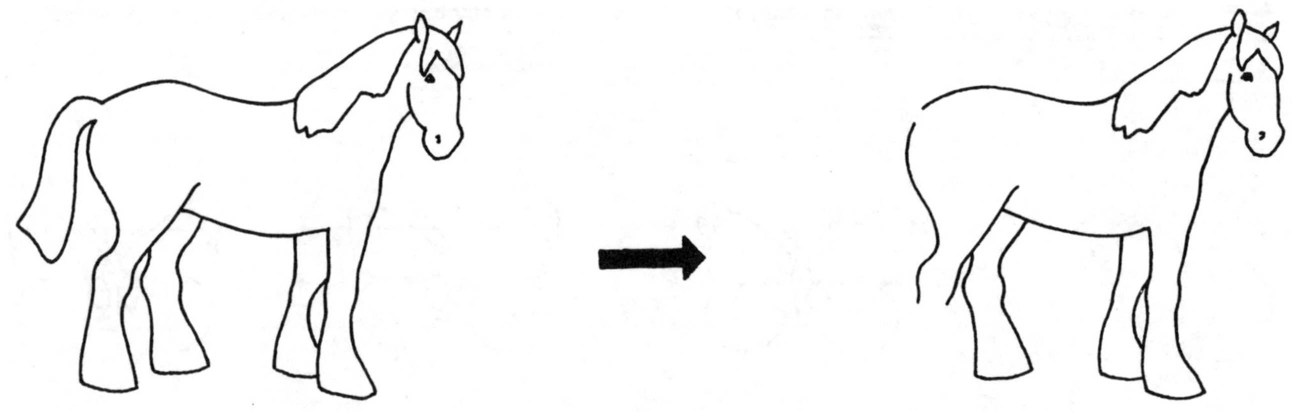

make the same

colour

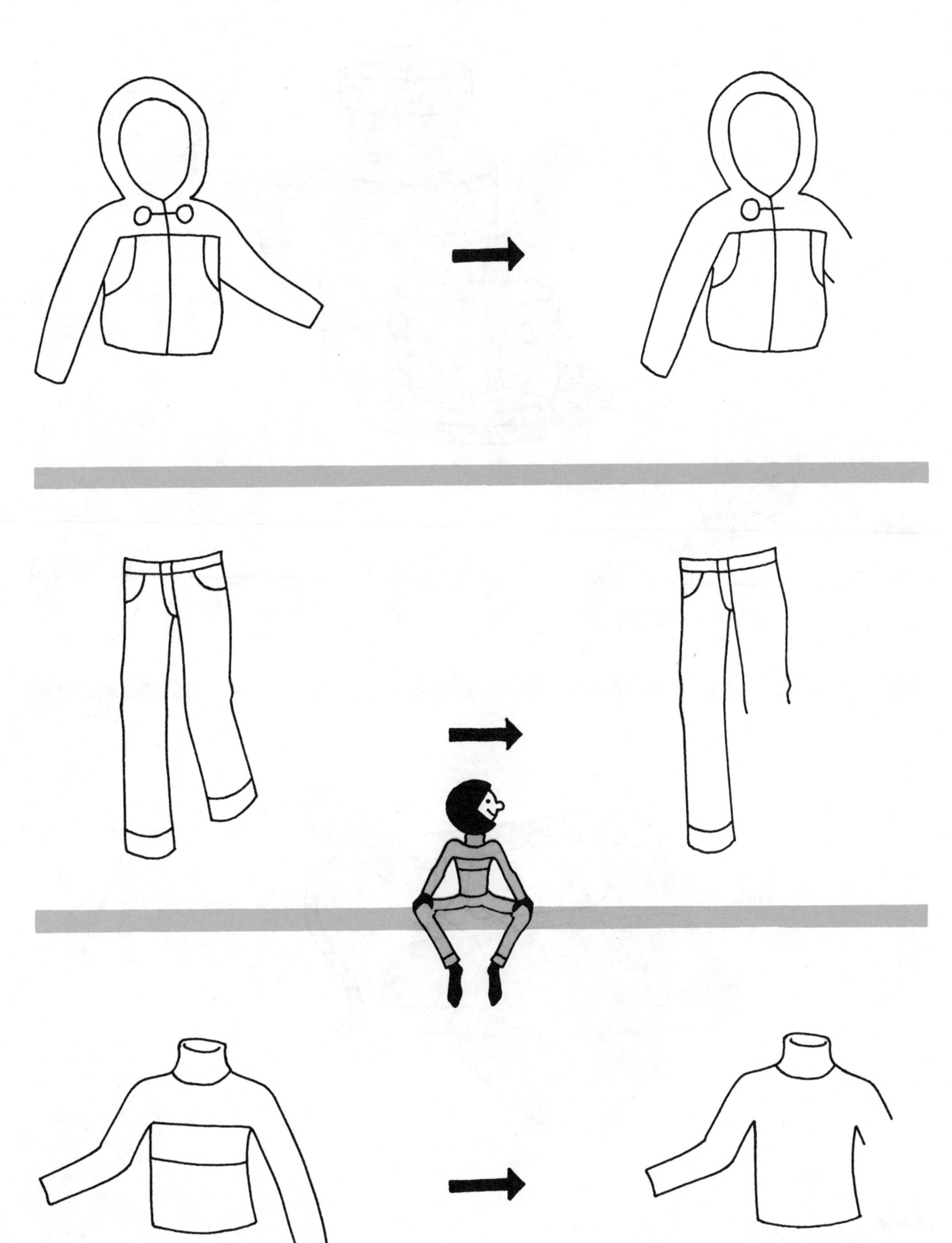

what can you see?

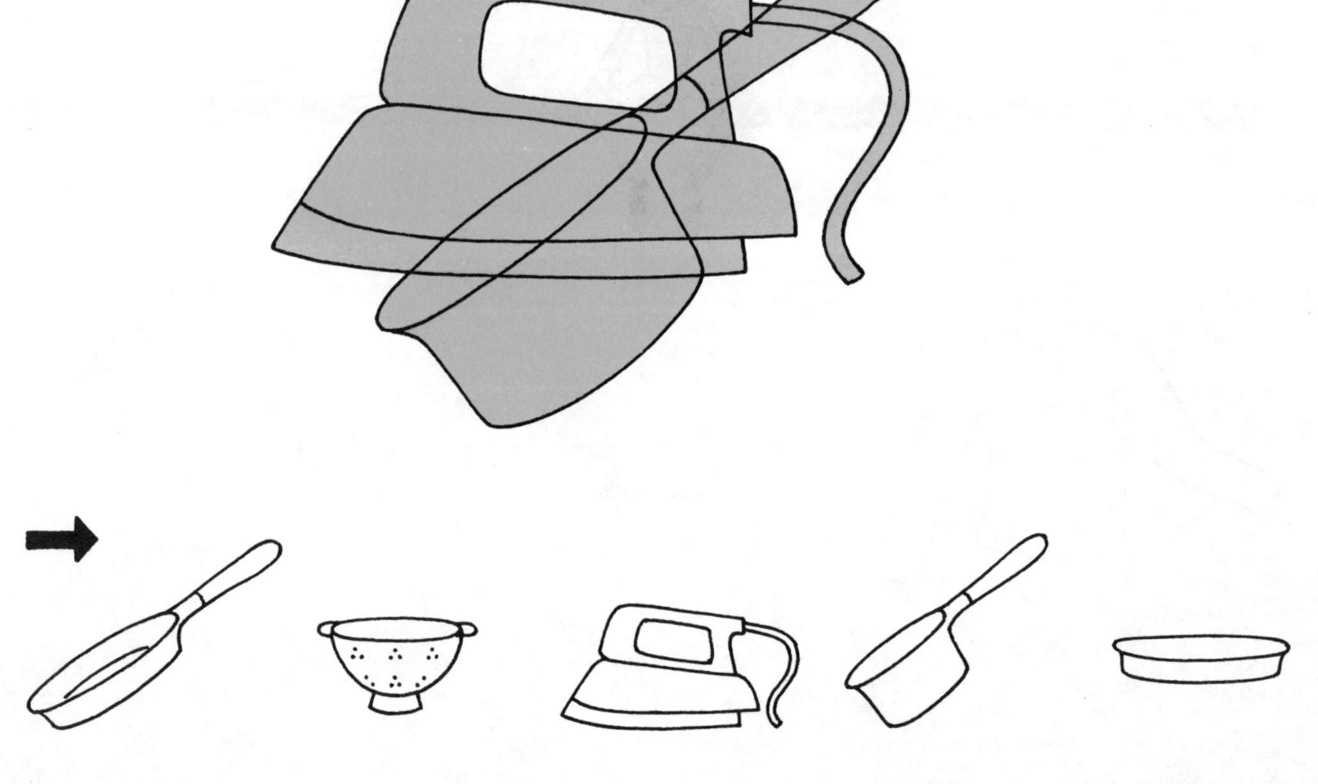

what can you see?

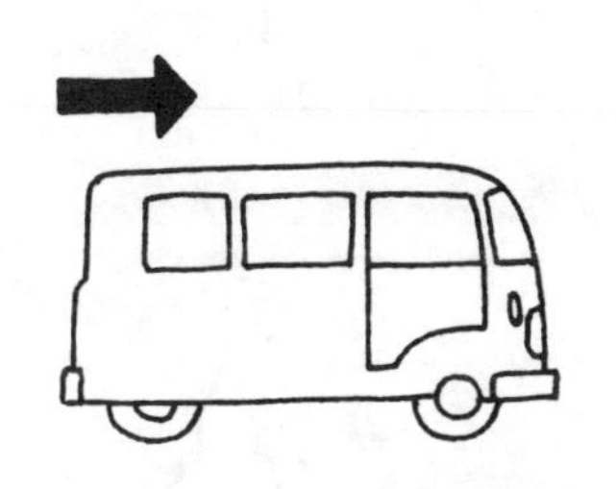

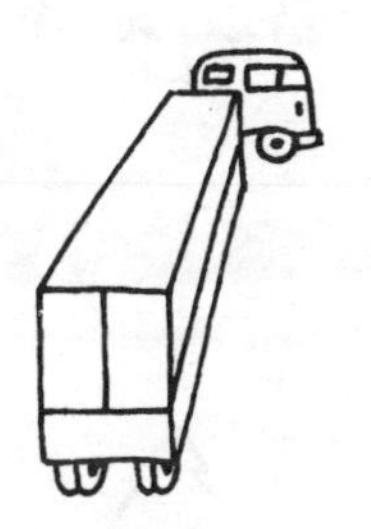

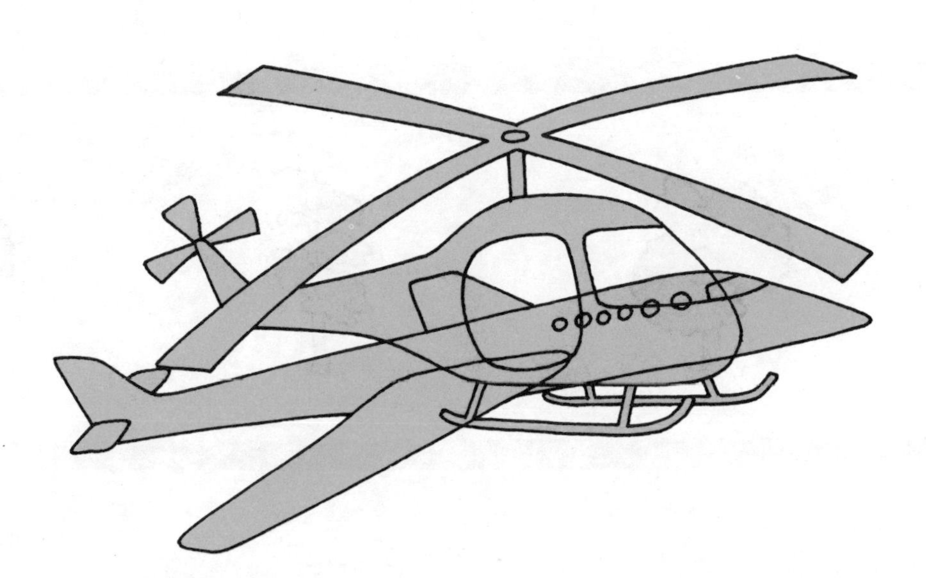

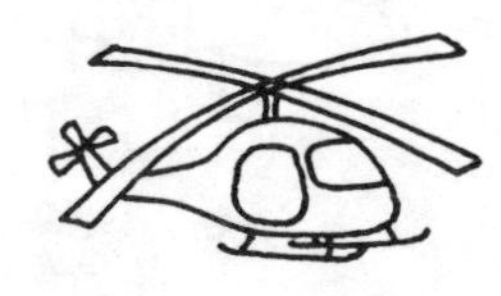

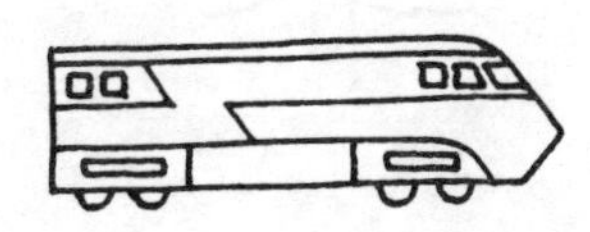

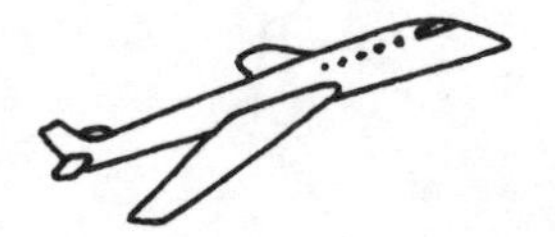

ring odd one out

colour

ring odd one out

colour

join up the same

colour

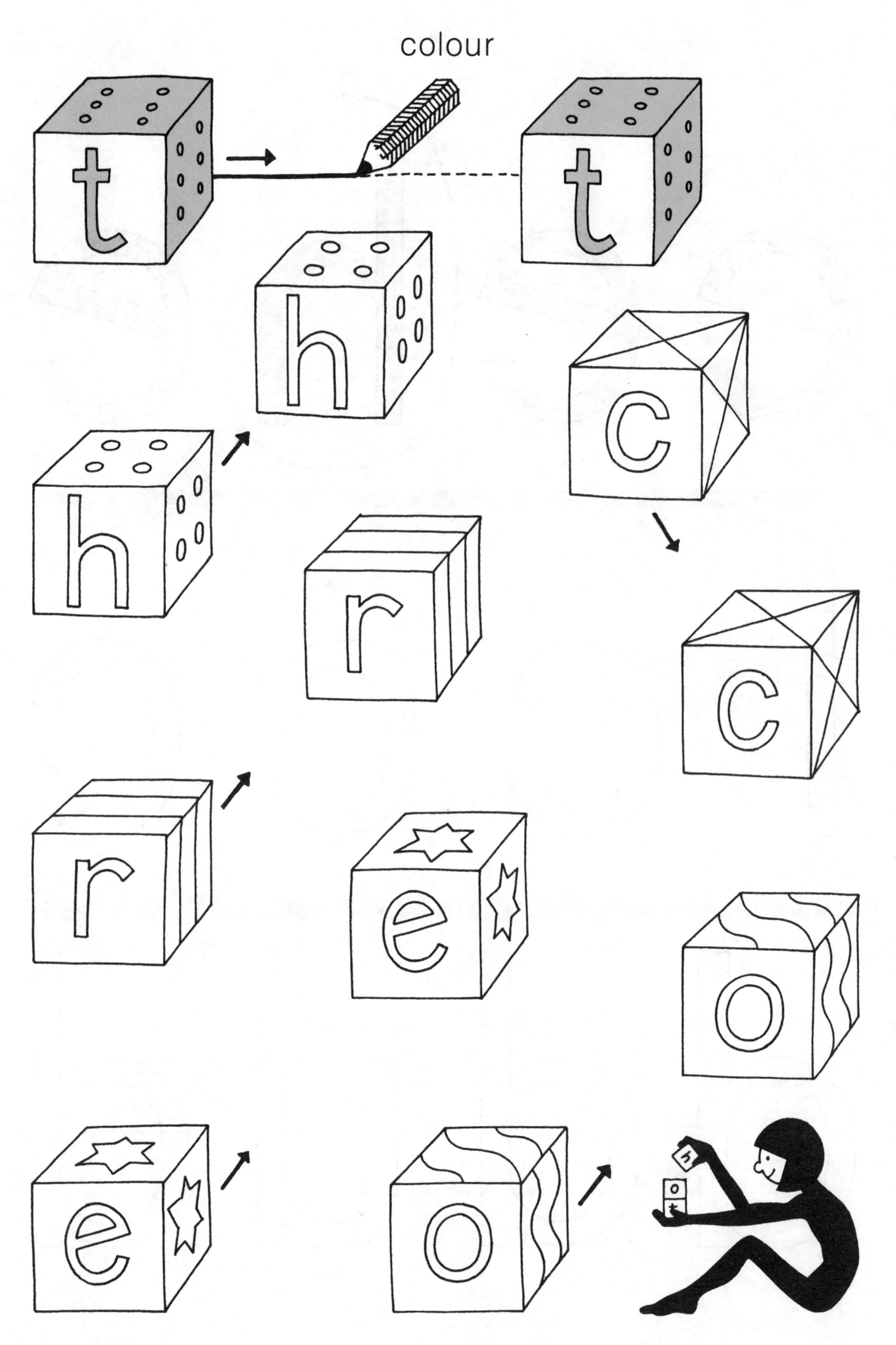

join up the same

colour

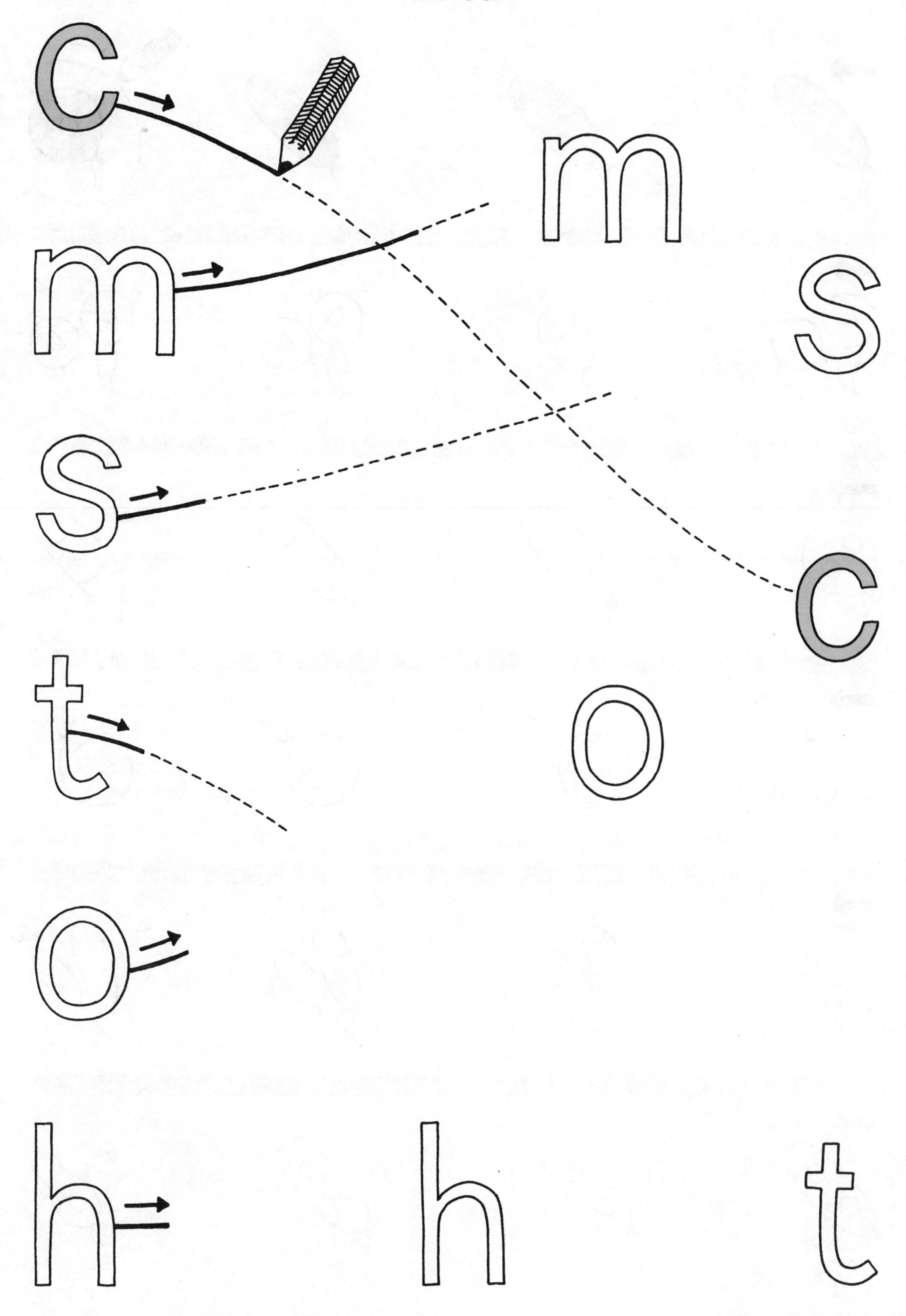

ring odd one out

colour

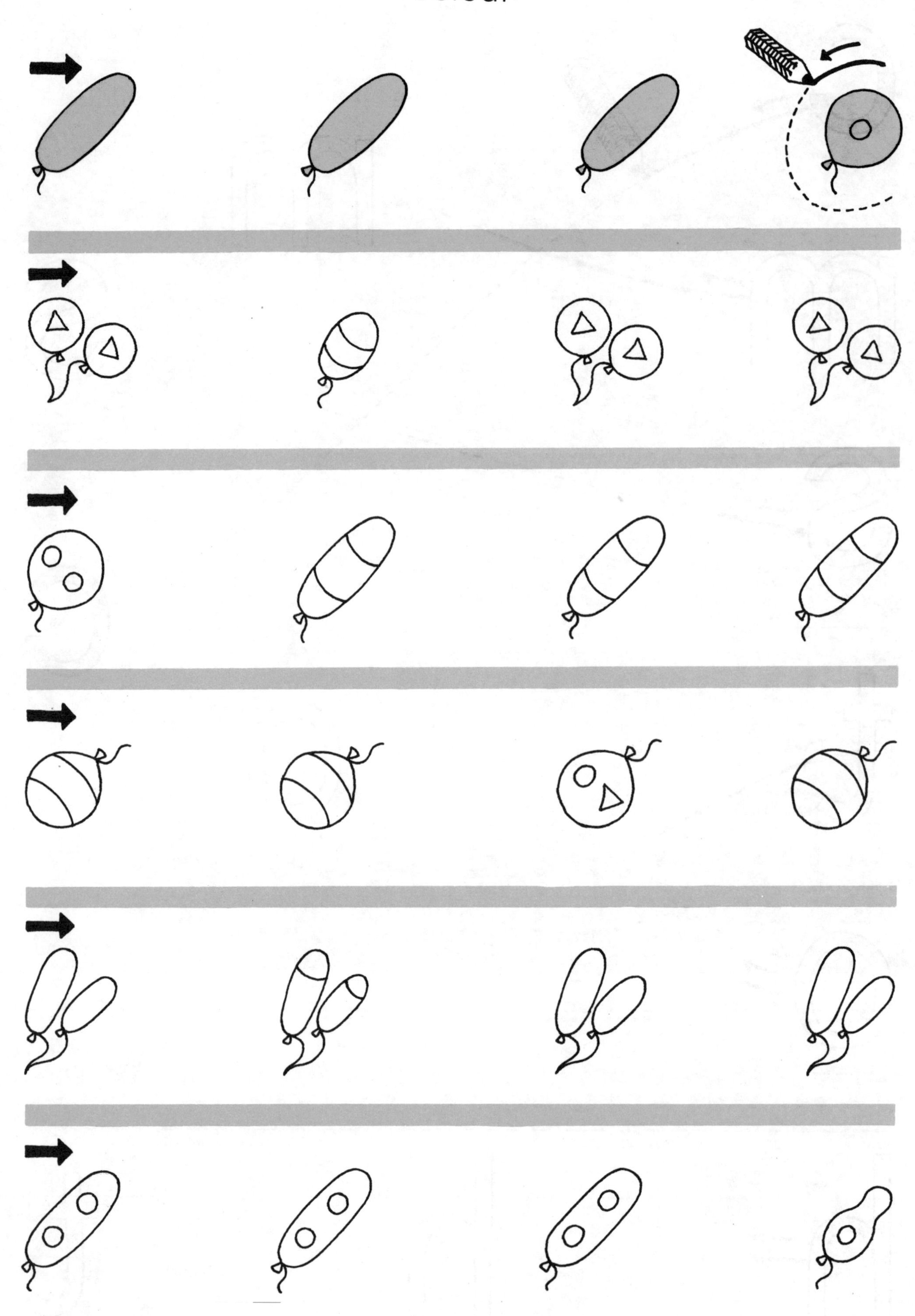

ring odd one out

colour

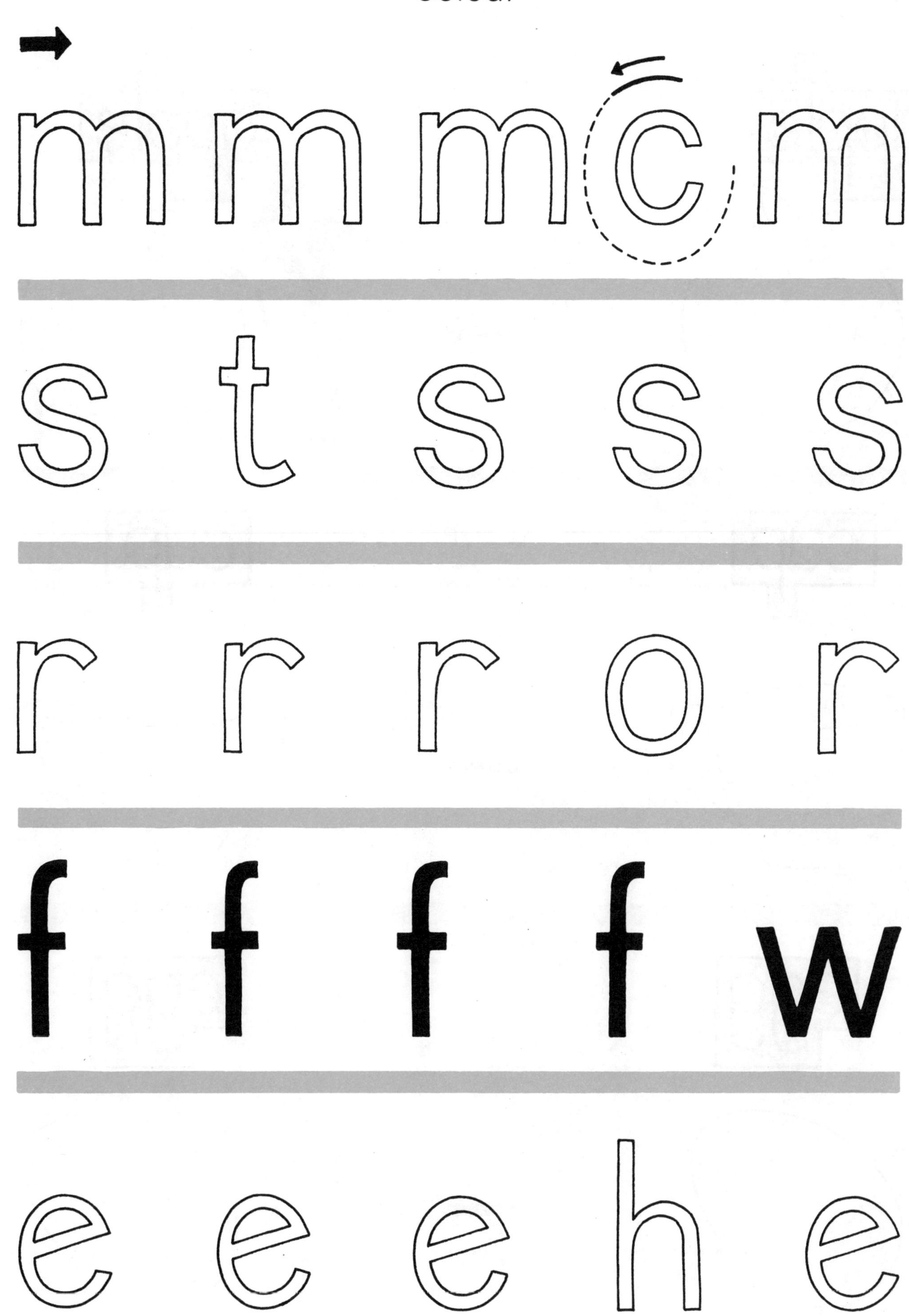

make the same

colour

make the same

colour

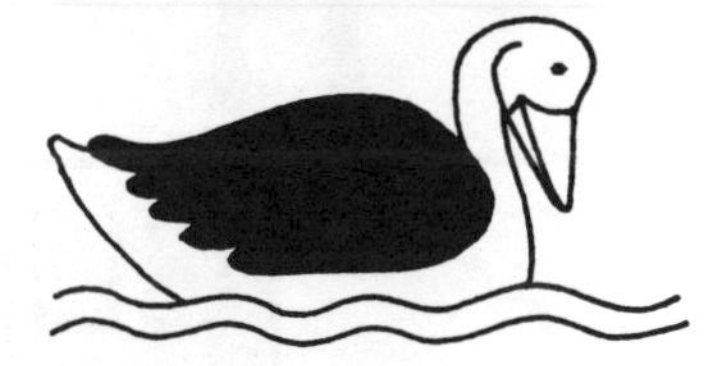

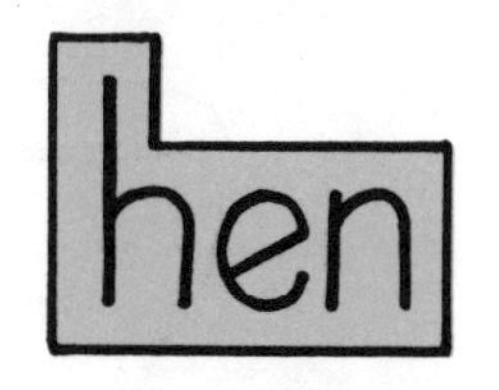

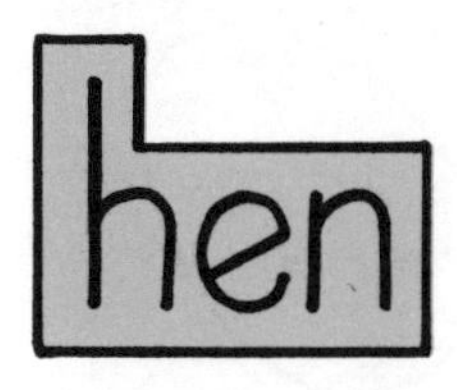

join up the same

colour

join up the same

colour

join up the same

colour

make the same

colour

make the same

colour

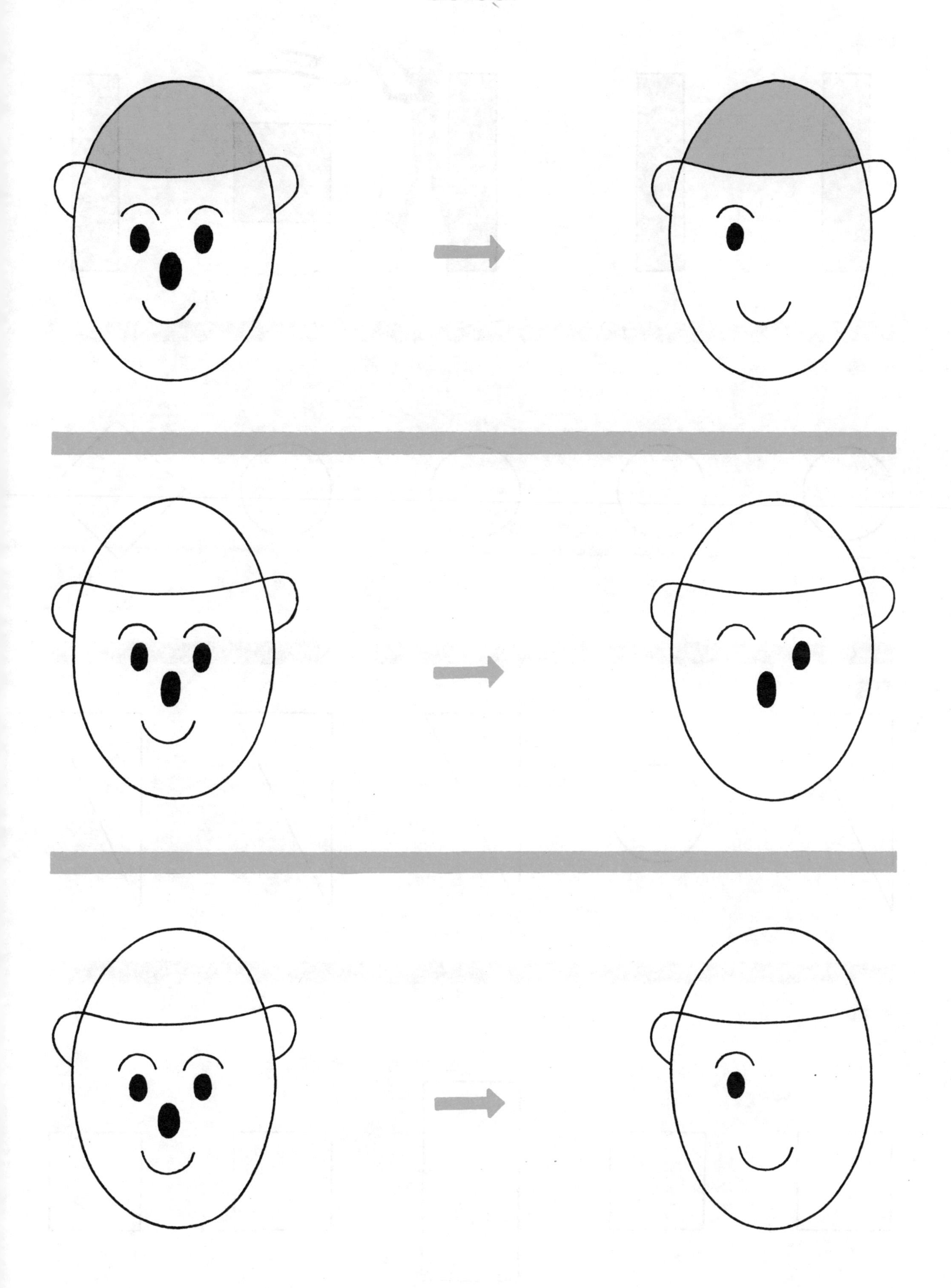

ring odd one out

colour

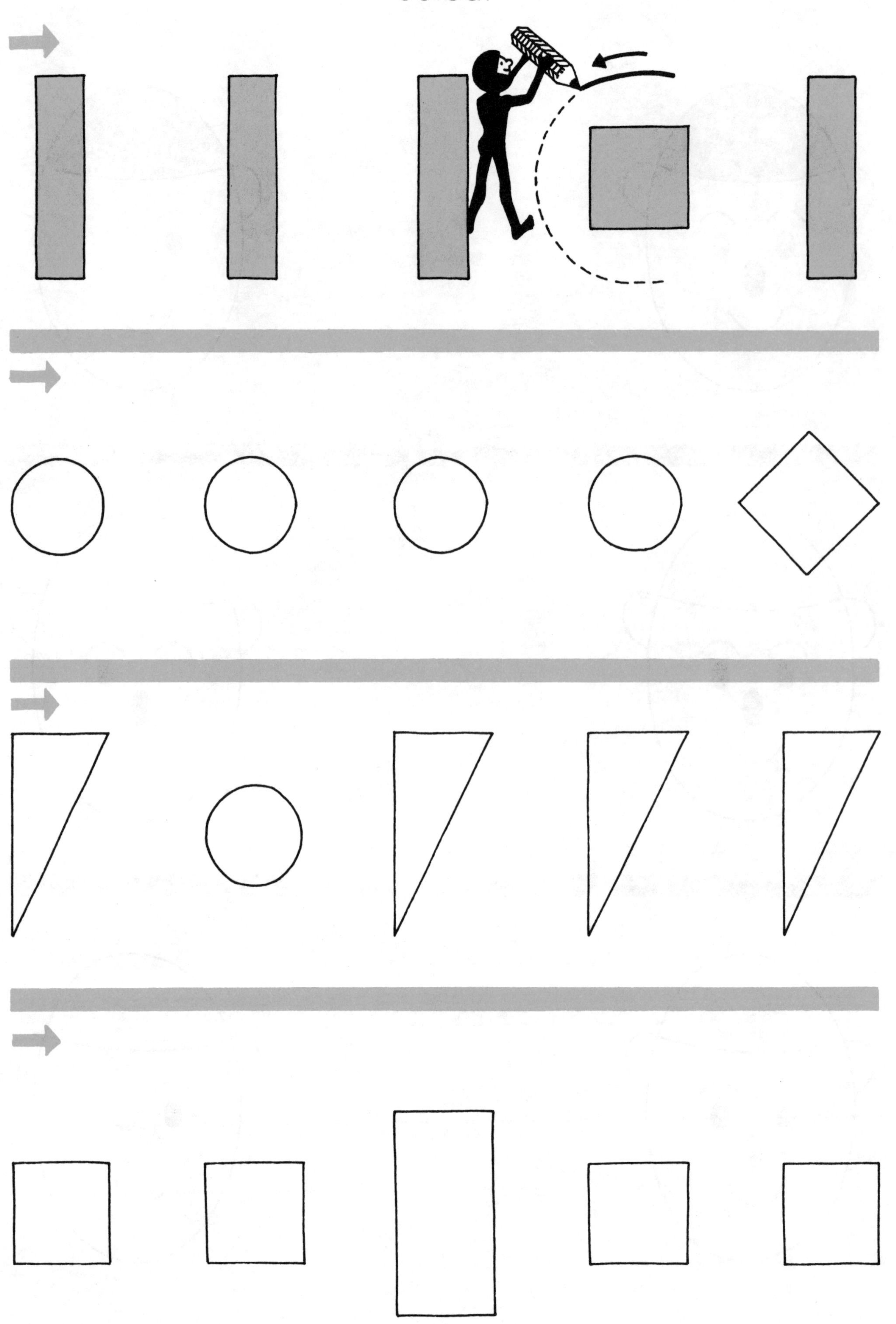

ring odd one out

colour

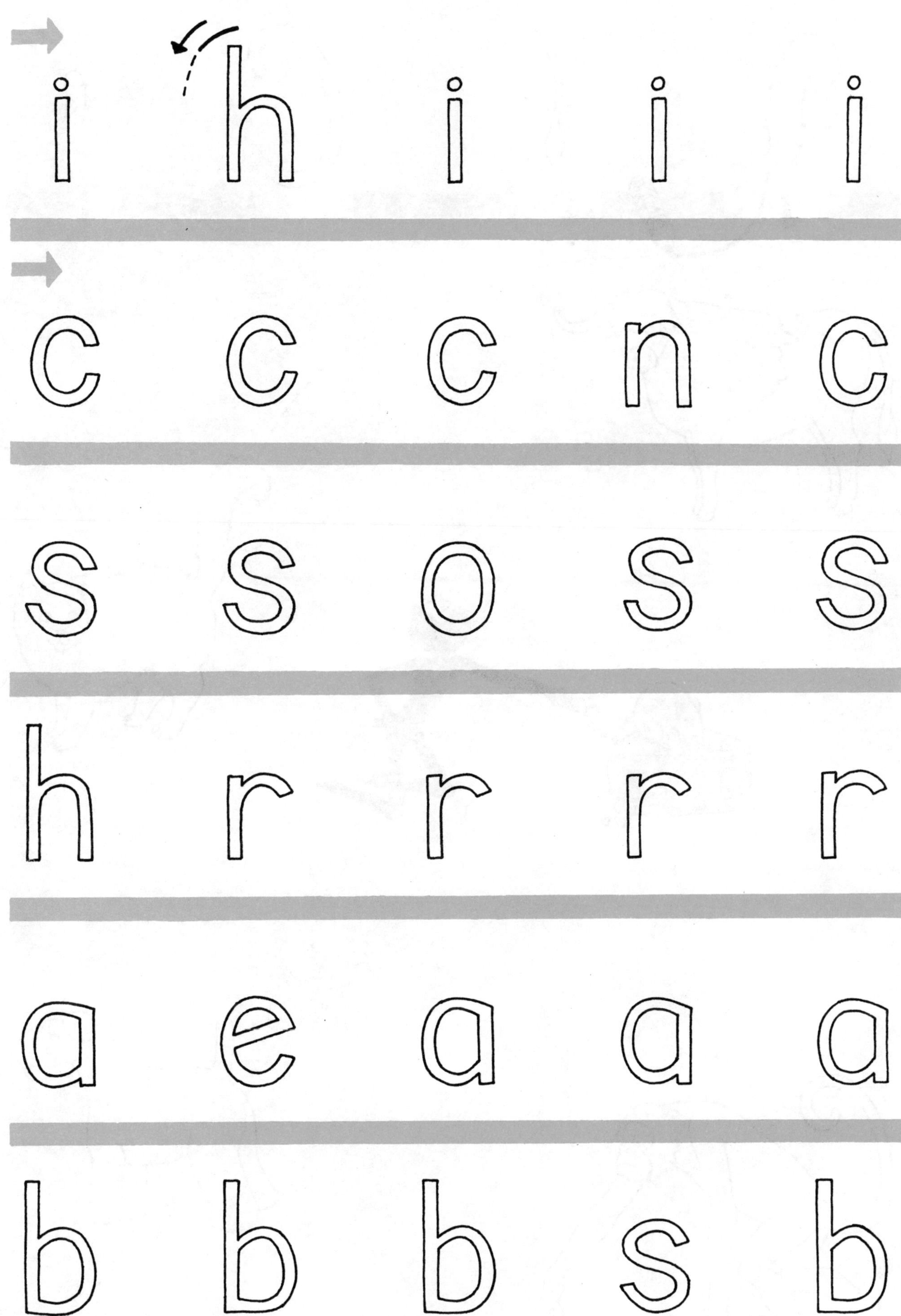

join up the same

colour

join up the same

colour

a f t k h b

a c t

e s

k f

i

o r m

w

h b

join up the same

colour

join up the same

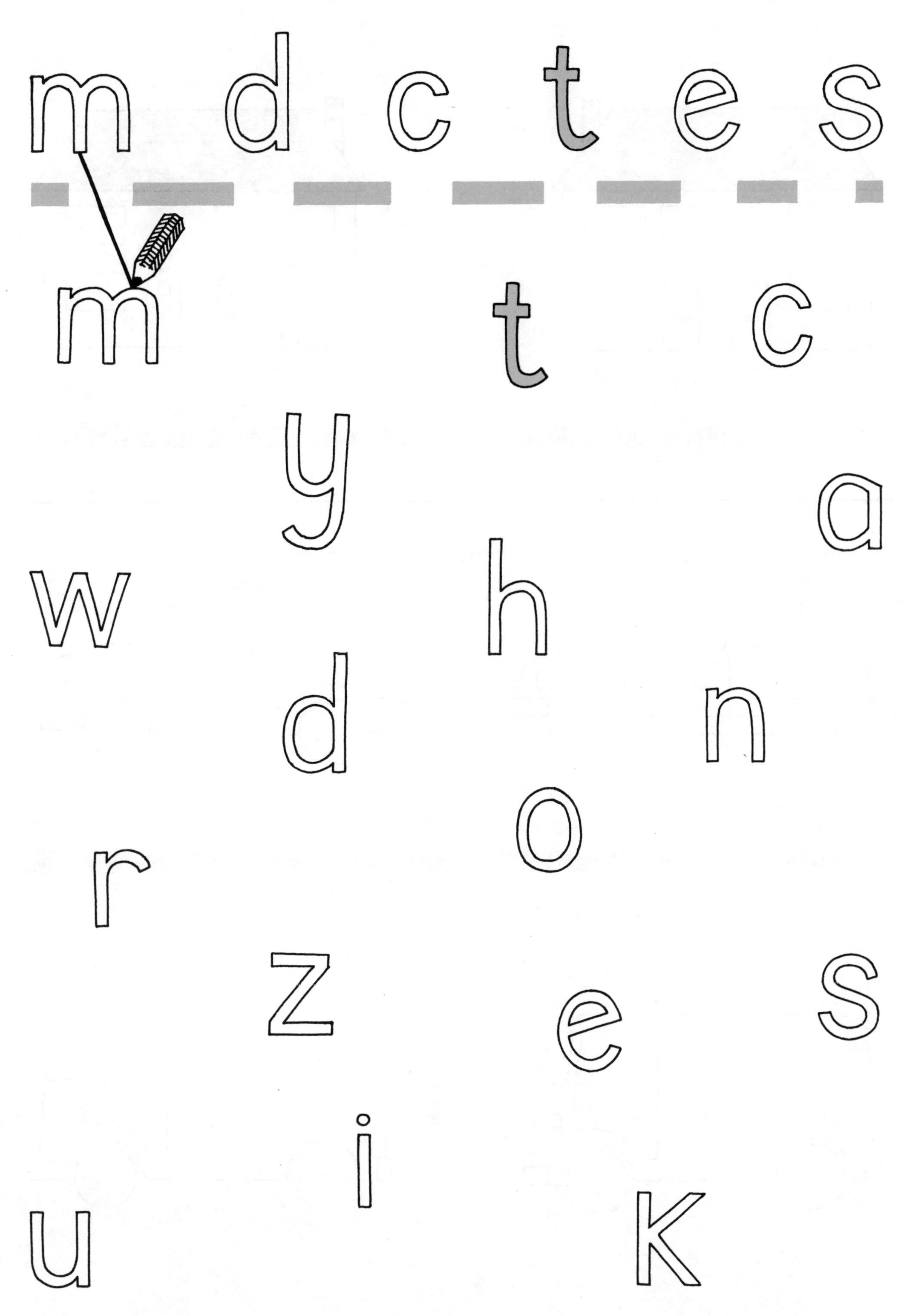

make the same

colour

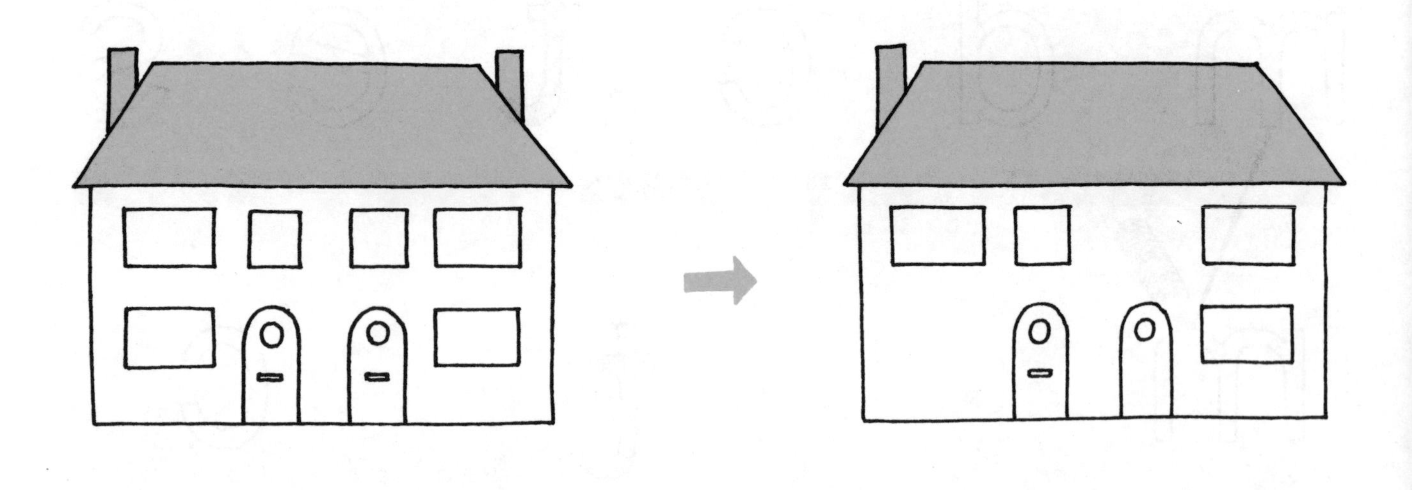

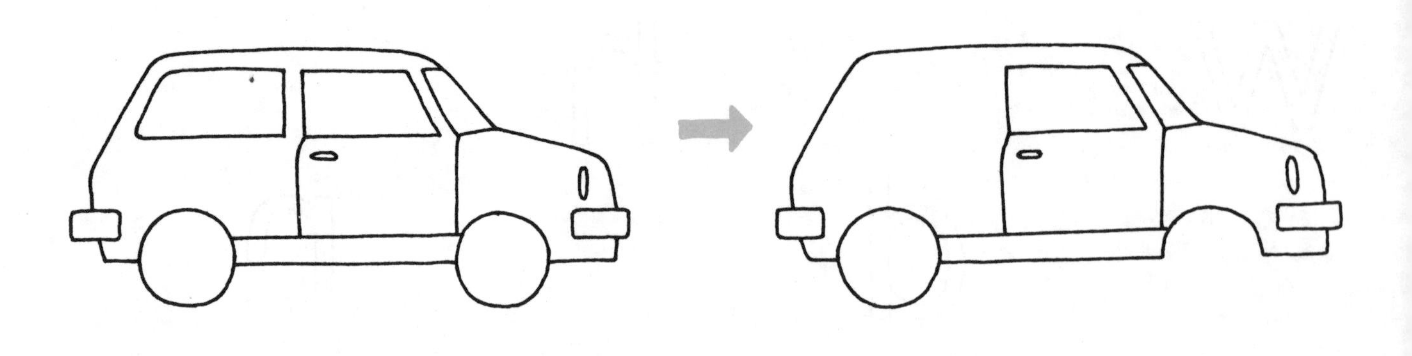

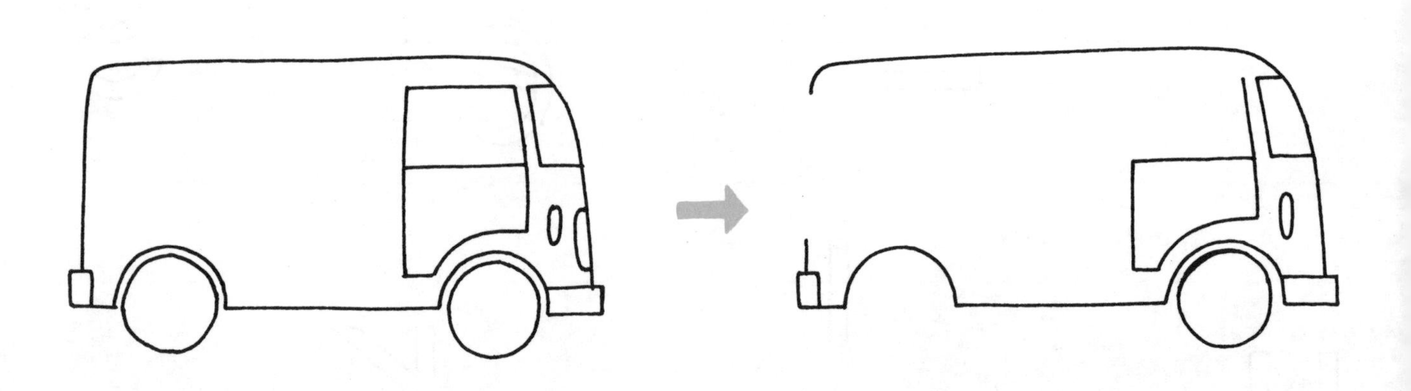

make the same

colour

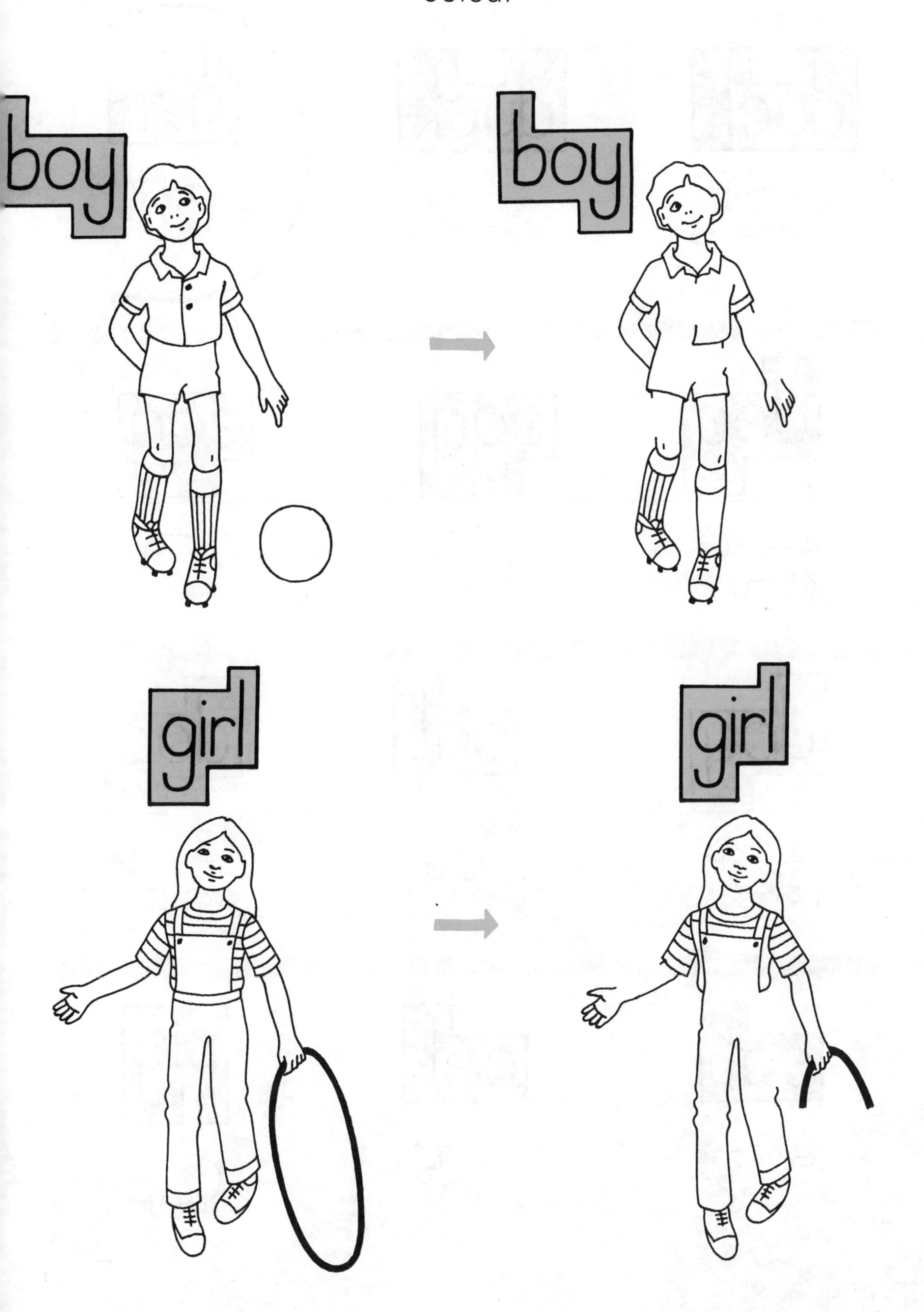

ring odd one out

colour

egg

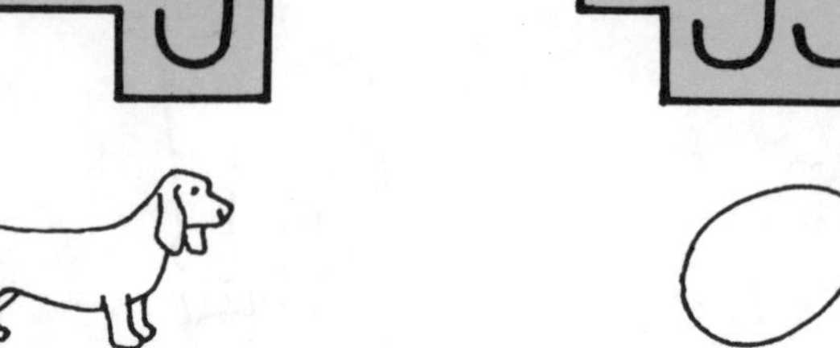

ring odd one out

colour

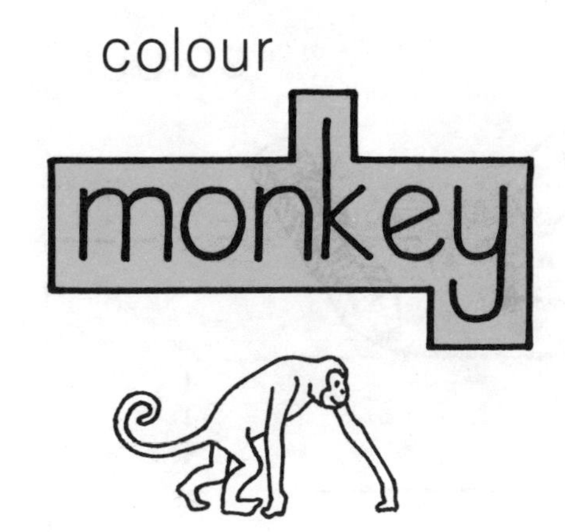

join up

colour

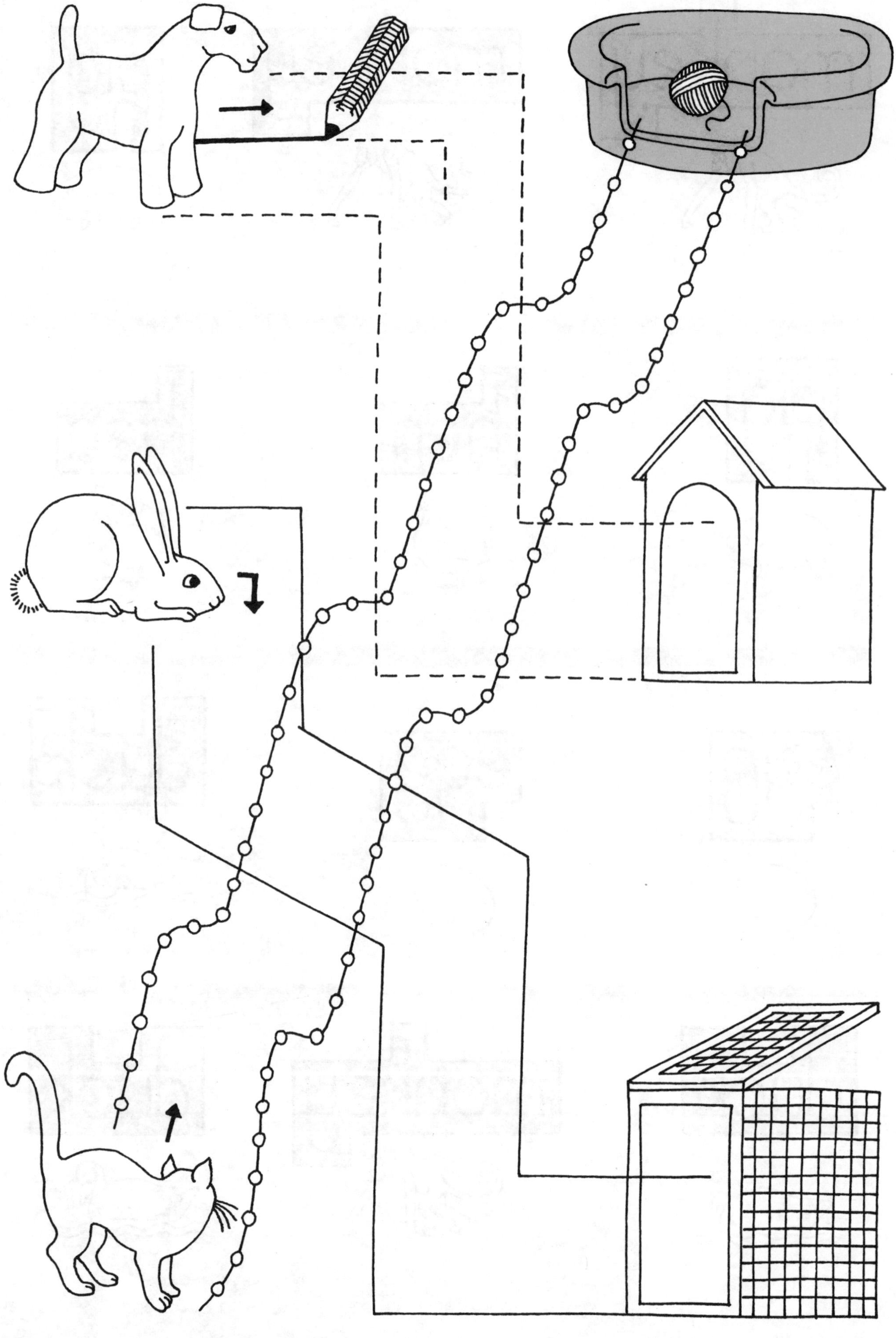

join up

colour

join up the same

colour

join up the same

colour

join up the same